CERDDORION

A

THRADDODIAD

CERDDOROL

SIR FORGANNWG

Er Cof am

Fy Nhad a Mam.

Dau o Blant y Tonic Sol-ffa

CYNNWYS

Y TRADDODIAD CERDDOROL YN Y SIR

RHAGAIR

Daeth y traethawd hwn yn ail yn Eisteddfod Genedlaethol Bae Colwyn 1947, dan feirniadaeth y Dr. D. E. Parry-Williams. Bwriadwyd ei gyhoeddi yn 1948, ac yr oedd y diweddar Ddr. David Evans, Caerdydd, wedi addo ysgrifennu rhagymadrodd byr iddo. Ymhen deu-ddydd wedi i mi ei bostio iddo, bu farw Dr. Evans yn sydyn. Yn y golled fawr yma, rhoddwyd y syniad o'i gyhoeddi heibio. Er gwaethaf hyn, dyry gyfle i ychwanegu peth ato ar awgrym y beirniad. Hefyd, rhaid oedd newid peth arno gan fod amryw o'r Cerddorion wedi marw yn y cyfamser. Yn lle cael rhagymadrodd, rhoddir yma ddarn o feirniadaeth Dr. D. E. Parry-Williams: —

> "Gwell o lawer yw y traethawd hwn o safbwynt iaith ac arddull, ond nid oes yma olion chwilota manwl . . . gresyn na busasai'n sôn am gerddoriaeth yr Eglwys yn y Sir, gwyliau cerddorol, a chanu cerddorfaol . . . Cryno a diddorol yw'r bywgraffiadau yn y rhan gyntaf . . . Rhoddir arbenigrwydd i Rosser Beynon, Ieuan Ddu a John Thomas (Pencerdd Gwalia) a Jane Williams fel arloeswyr, ac mae'r ymdriniaeth ar Dr. Joseph Parry yn feirniadol, ond yn deg. Ymddengys cyfansoddwyr y ganrif hon fel yn cymryd eu lle'n briodol yn yr olyniaeth . . . Yn yr ail ran o'r traethawd cyflwynir i ni hanes traddodiad y Sir. . . . Dyry i ni ffeithiau diddorol ynglŷn a'r Gymanfa Ganu gyda'r bwriad o brofi mai ym Morgannwg y cychwynodd y syniad am Gymanfa Ganu grefyddol. . . Y mae traethawd "Pendinas" (dyna oedd y ffugenw) yn llawer ysgafnach o ran arddull a mwy darllenadwy nag eiddo "Morgannwg"; ond yn anghyflawn o safbwynt mater . . . Er hynny, ef a ddangosodd sut i gyflwyno'r mater . . . Pe buasai yn nhraethawd "Pendinas" olion manylach ymchwil, hawdd fuasai rhoddi iddo y flaenoriaeth yn y gystadleuaeth."

Cafwyd cyfle yn y cyfamser ar awgrym y beirniad i chwilota mwy.

Mae fy niolch a'm dyled yn fawr i'r Athro D. J. Davies, B.A., Coleg Coffa, Abertawe, am gywiro y proflenni. Am bob gwall â welir, beied fi yn unig am hynny. Gan fod y rhan fwyaf yn dweud rhif y flwyddyn yn Saesneg, rhoddais YN o flaen y flwyddyn yn lle YM yn fwriadol. Diolch hefyd i Mr. A. Haydn Jones, M.Mus., Pen-y-Groes, a Mr. W. S. Gwynn Williams, O.B.E., M.A., ac i'r Mri. John Curwen a'i Feibion am eu awgrymiadau gwerthfawr. Hefyd i Mrs. Nansi Jones, B.A., Tymbl, am ei chyfieithiad o'r Lladin, ac i Mrs. Gwyneth Owen am ei hamynedd gyda'r teipio. Hefyd i Jennie am ei help a'i chymwynasau.

E. P. JONES

"Gwynedd,"
UPPER TUMBLE,
Ger Llanelli.

LLYFRYDDIAETH

----

1. Y Diwygiwr (Cyf. 1845)
2. Y Gwyddonydd Cerddorol
3. Bywgraffiaeth Cerddorion Cymreig   M. O. Jones
4. Cerddoriaeth yng Nghymru   ...   Idris Lewis
5. Cronicl y Cerddor (Cyf. 111)   ...   D. Emlyn Evans
6. Hanes Pontardawe a'r Cylch   ...   Hirfryn
7. Cymry enwog   ...   .   Gwasg Prifysgol Cymru
8. Cofiant Dr. Joseph Parry   ...   ...   E. Keri Evans
9. Y Cerddor Sol-ffa (Ail Gyfres 1885)   Gol. Pencerdd Maelor
10. History of Merthyr Tydfil   ...   ...   G. Wilkin
11. Cofiant Ieuan Gwyllt   ...   .   J. Eiddon Jones
12. Y Cerddor Cymreig, 1861, 1862, 1864
13. Y Tri Thelynor   ...   .   Dr. J. Lloyd Williams
14. Welsh Harper   ...   .   Bardd Alaw
15. Songs of Wales   ...   .   Brinley Richards
16. Cofiant John Ambrose Lloyd   ...   Francis Lloyd
17. The Story of Glamorgan   ...   ...   C. J. Evans
18. Notable Welsh Musicians   ...   ...   Frederic Griffith
19. History of Pontypridd and Rhondda
    Valley   ...   .   Morien
20. Gohebiaethau â John Curwen a'i
    Feibion. (Yn ystod 1946)
21. "Tir Newydd", Mehefin 1939 (Rhifyn
    Coffa Dr. Vaughan Thomas)
22. Dictionary of Music   ...   .   Groves
23. The History and uses of the Tonic
    Sol-fa Syllables   ...   .   W. G. NcNaught
24. Companion to Music   ...   .   Scholes
25. Cyclopaedia of Music and Musicians   Thompson
26. Buchdraeth John Mills, Llanidloes ...   Mills & Jones
27. Hanes Canu Cynulleidfaol Cymru ...   R. D. Griffith

Cerddorion Sir Forgannwg

"MOR o gân yw Cymru i gyd," a chanwn ein hanthem Genedlaethol "Gwlad beirdd a chantorion," etc.   Ond o ystyried, nid yw'r maes mor eang, canys nifer fechan o siroedd Cymru sydd wedi codi cerddorion, a llai fyth sydd a thraddodiad priod wedi ffynonellu ynddynt ar wahân i draddodiad cyffredinol. Ychydig o gerddorion ddaeth o siroedd Môn, Meirionydd, Fflint a Phenfro.   Codi pregethwyr a nofelwyr yw eu traddodiad Traddodiad addysg yw traddodiad Sir Aberteifi.   Emynwyr gawsom o Sir Gaerfyrddin, a chawsom nifer o wrthryfelwyr o Drefaldwyn a Phenfro.   Daeth llu o gerddorion o siroedd Dinbych a Chaernarfon, yn arbennig ardaloedd Rhosllanerchrugog a Wrecsam yn y naill, a Bethesda a Bangor yn y llall.   Pan ystyriwn bod dros filiwn o bobl, sef hanner poblogaeth Cymru, yn byw yn Sir Forgannwg, (yn ôl y cyfrif diwethaf) hawdd deall iddi godi mwy (mewn rhif beth bynnag) o gerddorion nag unrhyw sir arall. Wele restr o'r Cerddorion mwyaf a anwyd, neu a fagwyd ynddi, a braslun o'u hanes.

ROSSER BEYNON (Asaph Glan Taf).

Ganed ef yng Nglyn Nedd yn 1811.   Symudodd ei rieni i Ferthyr Tydfil pan oedd Rosser Beynon yn bedair oed, sef blwyddyn y ganed John Ambrose Lloyd, 1815.   Yr oedd yn un o chwech o blant, ac yr oeddynt oll yn cymryd diddordeb mewn cerddoriaeth.   Pobl gyffredin heb nemor ddim o adnoddau "y byd hwn" oedd ei rieni.   Felly ysywaeth, prin iawn oedd manteision Rosser Beynon.   Ymaflodd o ddifrif mewn cerddoriaeth.   Bu yn dysgu elfennau cerddoriaeth am amser byr gyda George Williams.   Yn ôl arfer plant yn y cyfnod hwnnw, dechreuodd weithio yn wyth oed.   Tua deuddeg oed, aeth i ysgol nos dan Mac Farlane ac eraill.   Yno yn unig cafodd yr addysg swyddogol a oedd o unrhyw werth iddo.   Gweithiau yn y dydd, mynychai'r ysgol nos, a darllenai hyd oriau mân y bore.   Trwy ddyfal barhad, daeth "yn ei flaen."   Ym Mai 1836, ysgrifennodd "Sylwadau Peroriaethol" i'r "Diwygiwr."   Cadwodd ysgol nos ei hun am ysbaid.   Arferiad bwysig oedd hon am rai blynyddoedd mewn ardaloedd fel Merthyr, am fod cerddoriaeth a chanu cynulleidfaol yn beth newydd bron i'r cyhoedd.   Rhywbeth yn debyg bu gwaith Robert Williams, Cae-Aseth, ym Methesda, Arfon   Bu Dan Price, Abraham Bowen, Dowlais, a David Francis, Treforus, yn ddisgyblion iddo.   Beynon oedd yn "Codi Canu" yn Soar, Merthyr a thrwy ei gymorth ef y daeth canu Soar am y tro cyntaf yn ganu cynulleidfaol da.   Problem anodd oedd hi yno hen arferiad i'r dynion ganu'r alaw, ac i'r merched ganu rhan y tenor.   Daeth ei "Delyn Seion" allan yn rhannau, gan ddechrau yn 1845.   Cynhwysa "Telyn Seion" 130 o donau, a 22 o anthemau a chytganau.   Daeth yr ail ran allan yn 1848.   Ymysg y rhain, ceir dwy anthem gan John Ambrose Lloyd, sef "Bendithiad" ac "Mi glywais lais o'r nef." Hefyd ei ddwy dôn "Eifionydd" a'r "Groeswen." Er i gasgliad o donau J. A. Lloyd ymddangos ddwy flynedd cyn hyn (1843), ychydig os dim y gwyddai y cyhoedd am Ambrose Lloyd Rosser Beynon ddaeth a'r cerddor enwog hwnnw i'r amlwg. Y rheswm am hynny oedd i Rosser Beynon fod yn beirniadu mewn Eisteddfod yn y Groeswen ger Caerffili yn 1845. Yn y "Diwygiwr" am 1845 (td. 82) ceir ei feirniadaeth yn yr Eisteddfod honno. J. A. Lloyd enillodd am y ddwy anthem. Os nad oedd hon yr Eisteddfod gyntaf i Ambrose Lloyd gystadlu ynddi, yn hon y cafodd ei wobr gyntaf Pan ofynnodd Beynon iddo am dôn i'r casgliad "Telyn Seion," enwodd un yn "Groeswen" am mai yno yr amlygwyd ei lwyddiant cerddorol gyntaf Yn y llyfr "Cerddoriaeth yng Nghymru," gan Idris Lewis ceir peth dryswch ynglŷn â hyn. Dywed ar td. 25 mai yn y Groeswen oedd yr Eisteddfod, a hynny sy'n gywir Ond ar td. 17, dywed mai yn Wrecsam oedd yr Eisteddfod. Beth barodd y gwahaniaeth hyn, anodd dirnad . Gyda dyfodiad "Telyn Seion," cafodd y Cymry rhywbeth newydd a min a blas arno. Hwn oedd rhagredegydd Llyfrau Tonau Tanymarian ac Ieuan Gwyllt, a rhai diweddarach J. A. Lloyd. Yn yr ystyr gorawl, Rosser Beynon oedd tad bron yr oll arweinyddion canu a godwyd yn ardaloedd Merthyr a Dowlais Bu farw Ionawr 3ydd, 1876, a gorwedd ei weddillion yng Nghefn-coed-y-cymer.

ABRAHAM BOWEN

Cyfeiriwyd ato eisoes. Ganwyd ym Merthyr yn 1817. Yr oedd yn hyddysg mewn cerddoriaeth, ac yn arweinydd y canu ym Methania, Dowlais, am flynyddoedd. Efe oedd athro cyntaf Eos Morlais, a Mrs. Watts-Hughes. Ni chyfansoddodd lawer, ond ceir un dôn ganddo yn "Telyn Seion" a chyhoeddodd rhai tonau yn ddiweddarach yn y "Diwygiwr."

DAVID BOWEN

Mab Abraham Bowen. Ganed yn 1848. Cyfeilydd enwog yn ei ddydd. Efe oedd cyfeilydd y Côr Mawr ym Mhalas Crystal 1872 a 1873. Bu farw yn 1885.

JOHN BRYANT (ALAWYDD GLANTAF) neu Bryant o'r Efail

Isaf, fel y gelwid ef. Ganed ef yng Nghastellau, ger Llantrisant, yn 1832. Derbyniodd addysg ar y delyn gan Llywelyn Williams (Alawydd y De) am ddwy flynedd. Bu yn enwog mewn Eisteddfodau yn y De am gyfnod fel beirniad. Cyfansoddodd ambell i ddarn ar alawon gwerin. Y mwyaf poblogaidd oedd y darn ar "Merch Megan."

DR. EVAN DAVIES.

Brodor o Lanerwys, Sir Gaerfyrddin, ond yn Abertawe y

treuliodd y rhan fwyaf o'i oes, ac yno y cafwyd ei wasanaeth i gerddoriaeth. Ganed ef yn 1826. Bu farw yn 1872 yn 46 oed. Yr oedd yn ŵr gradd (M.A. o Brifysgol Glasgow). Athro ydoedd wrth ei alwedigaeth yng Ngholeg Normal Abertawe. Symudwyd y Coleg i Aberhonddu, ond cariodd Evan Davies ymlaen â'r gwaith cerddorol o hyd. Yn ddiweddarach aeth am y Gyfraith, a bu yn gyfreithiwr llwyddiannus am yr ychydig flynyddoedd â oedd yn weddill iddo ar y ddaear hon. Ysgrifennodd atolygiad gwych ar " Ystorm Tiberias" (Tanymarian) yn y "Dysgedydd." Cyhoeddwyd ef wedyn gyda'r Oratorio. Dengys hwn, ei fod yn feistr cerddorol go dda. Bu yn enwog fel beirniad rhwng 1850 a 1863 yn Ne Cymru. Bu yn cynnal dosbarth cerddorol yn y Royal Institute, Abertawe, ac yn arwain y canu yng Nghapel Heol y Castell, ac yn arweinydd Cymdeithas Gorawl y Dref. Ceir gair am dano nes ymlaen fel arweinydd Cymanfaoedd Canu.

JOHN DAVIES, GODRE'R PARC.

Ganed yn y Banwen, Treforus, yn 1787. Un o arloeswyr cynnar y canu cynulleidfaol oedd yntau. Cafodd addysg fore go dda, a chymerwyd cyfleusterau ei ddydd fel safon. Yr oedd yn 32 oed pan gymrodd ddiddordeb mewn canu. Yr oedd amryw ar hyd a lled y wlad y pryd hyn yn diddori eu hunain mewn canu, a dilyn dosbarthiadau nos mewn darllen cerddoriaeth. Cafodd J. Davies beth cyfarwyddyd gan George Lewis, Thomas Evans ac Ieuan Ddu. Yn 1827, ymddangosodd tôn ganddo yn " Lleuad yr Oes." Cyfansoddodd amryw o donau o dro i dro, ac fe'u cyhoeddwyd yn yr "Utgorn," "Haleliwia Drachefn," a " Llwybrau Moliant." Cyfansoddodd hefyd tua hanner dwsin o anthemau. Dywed Emlyn Evans am dano, " Y mae cyfansoddiadau John Davies yn dwyn profion, fod ganddo amgyffrediad lled wych am felodi a chynghanedd." Bu farw Awst, 1883.

THOMAS DAVIES (TRITHYD).

Er mai yn Sir Gaerfyrddin y ganed Thomas Davies yn 1810, symudodd ei rieni ac yntau yn llanc ifanc i ardal Llantrithyd ym mro Morgannwg. Daeth yn enwog yn ei ardal fel canwr, ac athro yn y dosbarthiadau cerdd. Aeth i Cwmafan yn 1853 a bu yn cynnal ysgol nos mewn cerddoriaeth yno am amser maith. Cyhoeddwyd pedair o'i donau yn "Caniadau Seion" a "Telyn Seion " (Beynon). Yn 1854, cyhoeddodd y " Blwch Cerddorol " sef casgliad o donau ac anthemau. Ceir rhagymadrodd ynddo ar "Natur, hanfod a dybenion cerddoriaeth." Cynwysa'r llyfr 89 o donau, 16 o anthemau, a 90 o ddarnau dirwestol, a derbyniol iawn i'r mudiad dirwestol newydd oedd casgliad o gant namyn deg o ddarnau pwrpasol. Thomas Davies ei hun oedd awdur 31 o donau, ac wyth anthem. Annoeth yn nhyb rhai oedd cyhoeddi "Y Blwch Cerddorol" am fod Rosser Beynon ac

Ambrose Lloyd bellach wedi cyhoeddi llyfrau cyffelyb, a'u chwaeth a'u safon yn llawer uwch nag eiddo Trithyd.

MOSES DAVIES.

Ganed yn Defynog, Sir Frycheiniog, yn 1799. Oherwydd yr ymfudo cyson mewn canlyniad i'r Chwildro diwydiannol, i ardaloedd y " gweithiau," symudodd ei rieni i Ferthyr pan oedd Moses ond pump oed. Cymrodd at gerddoriaeth tua 18 oed.

Bu yn arwain y canu ym Mhont-Morlais (M.C.) am flynyddoedd. Cafodd yr un anhawster yma ag a gafodd R. Beynon yn Soar, drwy geisio ganddynt ganu y pedwar llais yn briodol. Cyfansoddodd Moses Davies 22 o donau, a bu bri mawr arnynt am gyfnod. Mab iddo oedd William Davies (Mynorydd) y cerflunydd, ac wyres iddo (merch Mynorydd) oedd Mrs. Mary Davies.

THOMAS EVANS, Telynor.

Daeth o'i sir enedigol, Caerfyrddin, i Forgannwg yn ifanc iawn. Preswyliau yn Newton Cottage. Cysylltir ef a Miss Williams (Mrs. Kirkhouse wedi hynny) a'r " Ferch o Sger." Bu farw yn 1823. Dwedir iddo fod yn cydweithio â Ieuan Ddu o Lan Tawe ar " Grisiau cerdd arwest" a gyhoeddwyd tua 1820.

JOHN HENRY EVANS o Donypandy a anwyd yn yr un flwyddyn a dau gerddor enwog, sef Tanymarian ac Ieuan Gwyllt, 1822. Telynor oedd yntau. Bu yn delynor i'r Iarlles Dunraven am rai blynyddoedd. Aeth i Lundain, ac oddi yno i'r cyfandir am dymor, yn cynnal cyngherddau gyda'i delyn. Bu farw yn 1885 a gorffwys ei weddillion yn Nhreherbert, Rhondda.

WILLIAM GRIFFITHS (Ivander).

Ganed yng Nghwmafan yn 1830. Goruchwyliwr gwaith glo oedd ei dad, felly cafodd fantais i gael addysg fore dda. Bu'n byw yng Nghefn-coed-y-cymer am ysbaid. Symudodd yn 1866 i Drefforest, lle y bu yn oruchwyliwr gwaith alcam, ond yng Nghwm Tawe bu ei yrfa gerddorol yn ei bri. Bu yn organydd a chôr feistr yn yr Eglwys yn Nghlydach-ar-Dawe o 1861 hyd 1866. Rhifai aelodau ei gôr o 150 i 180 o leisiau. Pigion y cwm oedd y cantorion wedi eu dewis o Abertawe i fyny i Ystalyfera. Enilliasant droion mewn Eisteddfodau, a buont mewn bri mawr am tua deng mlynedd, o 1860 i 1870. Perfformiwyd hefyd weithiau'r meistri ganddynt ac yn eu plith "Ystorm Tiberias" (Tanymarian).

Hwn oedd y côr a enillodd yn Eisteddfod Genedlaethol Caerfyrddin yn 1867. Yr oedd Ivander yn gyfansoddwr medrus yn ogystal ag arweinydd. Ceir ganddo donau yn y "Blwch Cerddorol." Cyfansoddodd hefyd gantawd "Gwarchaead

Harlech" a chyhoeddodd lawlyfr, "Rhyddganydd i'r gwasanaeth boreuol a hwyrol." Cafodd oes hir. Hunodd tua 80 oed.

IEUAN DDU O LAN TAWE.

Cyfeiriwyd ato ef eisioes. (Ei enw priod oedd John Ryland Harris). Mab ydoedd i'r enwog Barchedig Joseph Harris (Gomer), sefydlydd "Seren Gomer"

Ganed John Ryland yn Abertawe yn 1802. Gan ei fod yn dalentog bwriadai ei rieni roddi addysg dda iddo. Ond ei hoffter mawr oedd argraffu. Llwyddodd i berswadio ei dad i adael iddo brentisio yn y grefft honno. Wedi bwrw ei brentisiaeth am dair blynedd, prynodd ei rieni wasg argraffu iddo. Gyda llaw, hwyrach y bu hynny yn gaffaeliad mawr i'r tad gyda'i "Seren." Ond cyhoeddodd Ryland lyfryn bychan, "Grisiau Cerdd Arwest," sef "Cyfarwyddiadau eglur a hyrwydd at ddysgu peroriaeth, ynghyd â gwersi i ddechreuwyr.' Cyhoeddwyd hwn yn 1823. Daeth ail argraffiad o honno yn 1825 (dwy flynedd wedi ei farw). Ceir yn y pamffledyn hwn awdl ar gerddoriaeth, eglurhad ar eiriau, penodau ar nodau, gorffwyson, sgoriadau, cytseiniad, etc. Yn ôl M. O. Jones yn ei Fywgraffiaeth o Gerddorion Cymreig, ceir pennod hir ar y "Sol-ffa." Y mae hyn yn ddiddorol iawn gan na ddaeth y Sol-ffa i Gymru am flynyddoedd wedi hynny. Yn 1841 y cychwynodd John Curwen gyda'r Tonic Sol-ffa. Yn 1860 y cyfarfyddodd Eleazer Roberts â Curwen gyntaf. Ond dyma lencyn ifanc 21 oed, bron ugain mlynedd cyn Curwen, wedi cyhoeddi pennod ar y Tonic Sol-ffa. Yn y cyfamser, yr oedd wedi gadael y wasg argraffu i gael ychwaneg o addysg. Bu farw yn 21 oed yn 1823.

ROBERT JAMES (JEDUTHIN).

Ganwyd ef yn Aberdar yn 1825. Symudodd ei rieni i Ferthyr pan oedd ond dwy flwydd oed. Aeth i weithio yn ifanc fel oedd arfer bechgyn pryd hynny. Dilynodd ddosbarthiadau Rosser Beynon, a daeth yn gerddor gobeithiol. Pan yn 28 oed, priododd ag Ann Parry, sef chwaer i'r Dr. Joseph Parry. Ond ymhen dwy flynedd, bu hi farw, ac aeth yntau i Awstrelia. Bu yno am bum mlynedd. Daeth yn ôl i Gymru. Arhosodd yma chwe mis, yna ymfudodd ef a'i deulu yng nghyfraith i Danville, Pennsylvania. Yn ddi-ddadl, 'roedd Jeduthin yn y rhestr flaenaf ein cerddorion rhwng 1845 a 1855. Ceir amryw o'i donau yn y "Diwygiwr" o 1845 ymlaen, ac un yn " Telyn Seion " (R. Beynon). Cafodd wobr am anthem " Digrifwch Dafydd " gyda beirniadaeth odidog gan Tanymarian a John Mills. Cyfansoddodd amryw o anthemau a bron ymhob un o honynt ceir unawd Bass. Yr oedd hefyd yn ysgolor da, a thra yn yr Unol Daleithiau, bu yn ohebydd i'r "Scranton Morning Republican," ac i'r "Intellegencer" (Efrog Newydd. Gydag ef y cafodd ei frawd yng nghyfraith (Dr. Parry), ei wersi cyntaf.

THOMAS JONES, 1812 - 1858, oedd frodor o Aberafan, a chanddo amryw o donau yn y " Blwch Cerddorol " (Trithyd).

THOMAS LLEWELYN (LLEWELYN ALAW) 1828 - 1879.

CERDDOR, Telynor, a Llenor da. Un o deulu'r Gamlyn Fawr, Aberdar, oedd Llewelyn Alaw. Yr oedd yn delynor i deulu enwog Aberpergwm, ac i Arglwydd Aberdar, yn arbennig pan oedd hwnnw yn ei gartref yn y Dyffryn, Aberpennar. Ysgrifennodd draethawd ar Hanes Aberdar, a gyhoeddwyd yn ddiweddarach yn "Gardd Aberdâr."

THOMAS REES (MERTHYRIN) a aned ym Merthyr yn 1827. Astudiodd egwyddorion cerddoriaeth dan John L. Thomas (Ieuan Ddu). Dilynodd Moses Davies fel arweinydd y canu ym Mhont-Morlais, ac arweinydd y Côr Dirwestol a chadwodd ysgol nos i ddysgu cerddoriaeth.

DAVID RICHARDS.

Brodor o Drebanos, Pontardawe. Ganed ef yn 1835. Ymfudodd i'r America yn ifanc. Efe yw awdur y dôn "Dyffryn Baca." Dwed Dr. Caradog Roberts yn ei nodau hanesyddol ar y tonau yn y " Caniedydd Cynulleidfaol Newydd " iddi gael golau dydd yn Llyfr Tonau y Parch. E. Stephens, a J. D. Jones yn 1868. Tebyg iddi gael ei chyhoeddi gyntaf yn y " Blwch Cerddorol " yn 1854. Bu farw yn Wilkesbarre, U.D., yn 1906.

Bu i Sir Forgannwg lu o delynorion, ac amryw o honynt yn rhai gwir dda, fel William ac Edward Morgan, Pontfaen. Thomas Morris, Caerdydd; Thomas Pritchard (Twm bach) o'r Coity. David Davies, Gelligaer, 1760 - 1835, a'i fab o'r un enw, 1817 - 1855. Hefyd AP TOMOS. Ganed ef ym Mhen-y-Bont-ar-Ogwr yn 1829. Yr oedd yn adnabyddus drwy'r wlad yma a'r America fel telynor. Ond y mwyaf o honynt oedd brawd Ap Tomos, sef John Thomas, Pencerdd Gwalia.

PENCERDD GWALIA.

Ganed John Thomas ym Mhen-y-Bont-ar-Ogwr, Mawrth 1af, 1826. Yn ôl M. O. Jones, tebyg iddo fod yn medru canu'r piccolo yn bedair oed. 'Roedd ei dad yn aelod o seindorf y dref, a byddai John yn dilyn " y band " gyda'i biccolo. Prynodd ei dad hen delyn deires Thomas Evans, Newton Cottage (cyfeiriwyd ato eisoes) a oedd bellach wedi marw. Rhoddodd John ei holl fryd ar y delyn. Ni wyddys yn iawn pwy a'i dysgodd yn y cyfnod bore hwn, ond daeth yn bencampwr arni. Enillodd ar ganu'r delyn yn Eisteddfod fawr y Fenni yn 1839, pan yn 13eg oed, a daeth hynny ag ef i sylw mawr. Yn 1840, drwy gymorth yr Iarlles Lovelace, (unig ferch y bardd Byron) galluogwyd ef i fynd i'r Royal Academy of Music. Ei athro ar y delyn yno oedd John Balsir

Chatterton, a'i athro mewn cynghanedd oedd P. C. H. Patter. Bu yno am chwe blynedd. Tra yno cyfansoddodd Harp Concerto in B flat gyda chyfeiliant i gerddorfa lawn. Wedi hynny cyfansoddodd amryw o quartets, operas, overtures a symphony. Yn 1851, ymwelodd a'r cyfandir, a daeth i gysylltiad â cherddorion enwog, megis Meyerbeer a Rossini. Cymerodd ran amlwg hefyd mewn Llys-Gyngherddau yn Ffrainc, yr Almaen, Awstria, Rwsia a'r Eidal.

Wedi dychwelyd, cafodd enwogrwydd yn Llundain. A thrwy Lundain y cafodd Cymru wybod sut ddyn a anwyd ac a fagwyd yn Sir Forgannwg. Yn 1862, cyhoeddodd gasgliad o'r prif alawon Cymreig, gyda geiriau Cymraeg a Saesneg mewn dwy gyfrol. Yn yr un flwyddyn, cafwyd dau gyngerdd gyda chant o leisiau, a chyfeiliant ugain telyn. Un dan arweiniad Pencerdd Gwalia a'r llall dan arweiniad Julius (Syr wedi hynny) Benedict. Bu'r ddau gyngerdd hyn yn eithriadol o lwyddiannus, a boddhawyd hyd yn oed Ieuan Gwyllt. Y canlyniad fu i'r canu alawon Gwerin hwn ddod yn boblogaidd. Yn 1863, cyfansoddodd gantawd " Llewelyn." Perfformiwyd hi yn Eisteddfod Abertawe yn 1863, Llandudno 1864, a Chaer 1866. Unwaith eto ceir Ieuan Gwyllt yn uchel ei glod o'r gwaith hwn. " Dangosir yma ddawn, a medr i ysgrifennu yn ysgolheigaidd," meddai Ieuan Gwyllt yn y "Cerddor Cymreig," " yn ddestlus a gorffenedig . . . deil gymhariaeth deg a phrif gantodau y Saeson." Yn 1866, cyfansoddodd gantawd arall, " The Bride of Neath Valley." 'R oedd hon yn llai ei maint na " Llewelyn," ac nid oedd mor gymeradwy. Cyhoeddodd hefyd lu o concertos, caneuon, a darnau i'r delyn. Bu farw John Balsir Chatterton, ei gyn athro, a Thelynor y Frenhines Victoria yn 1871. Penodwyd Pencerdd Gwalia yn Delynor i'w Mawrhydi yn ei le. Yr un flwyddyn, ffurfiwyd Undeb Corawl Cymreig Llundain. Tueddiad pob gwlad heddiw, gan gynnwys Rwsia, yw mynd yn Genedlaethol yn eu cyfansoddiadau. Yn ôl megis at ganeuon Gwerin. Ond yr oedd y syniad a'r arferiad yma gan Pencerdd Gwalia. Yr oedd ganddo ddarlith boblogaidd ar " Gerddoriaeth Cenedlaethol Cymru." Bu farw Mozart yn ifanc iawn fel y gwyddus, ac oherwydd hynny, ceid amryw o'i weithiau heb eu cyhoeddi. Un o'r rhain yw ei Concerto for the Harp and Flute. Cyhoeddwyd y darn hwn gan Pencerdd Gwalia am y tro cyntaf yn 1878. Bu farw yn hen ŵr tua blwyddyn cyn dechrau'r Rhyfel Mawr 1914 - 1918.

Y PARCH. D. T. WILLIAMS (TYDFYLYN).

Ganed ef ym Merthyr yn 1820. Bu yn ei dro yn ôf, yn siopwr a gweinidog gyda'r Annibynwyr. Hanai o deulu Williams, Pant-y-Celyn. Bu yn cadw ysgol o dan Taliesyn Williams, mab Iolo Morgannwg, o'r hon y cododd rhai o brif ddynion y Sir. Cafodd ei wersi cerddorol cyntaf gan Rosser Beynon. Yn ystod yr Adfywiad Dirwestol ym Merthyr 1843 - 4, ffurfiodd gôr dirwestol, a llwyddodd i'w wneud yn un o'r corau gorau yn Ne Cymru. Enillodd lawer ar donau cynulleidfaol ac anthemau mewn mân Eisteddfodau, ac yn 1849, cyhoeddodd hwynt i gyd yn llyfryn bychan. Yr oedd hefyd yn fardd a llenor da. Cyfrannodd ei frawd, J. T. WILLIAMS, dôn yng nghasgliad Rosser Beynon, "Telyn Seion."

MARIA JANE WILLIAMS (LLINOS).

Ganed hi yn 1795. Hanai o deulu ysweiniaid Aberpergwm, Glyn Nedd. Cafodd addysg dda, fel y gellid disgwyl. Cymerai ei thad, Rhys Williams, a hithau, ddiddordeb mawr yn hanes, traddodiadau, a sefydliadau eu Cenedl. Yr oedd yn gantores dda, ac wedi meistroli y gynghanedd. Dwedir ei bod yn bencampwr ar ganu'r guitar, offeryn sydd mewn bri mawr gan " yr oes olau hon." Canu a chyfeilio iddi hi ei hun oedd ei phleser mwyaf. Yn Eisteddfod y Fenni yn 1839 (1838 yn ôl M. O. Jones, 1839 yn ôl Idris Lewis), lle y nodwyd eisoes am lwyddiant cyntaf Pencerdd Gwalia, enillodd Dlws aur, a thair gini o wobr am drefniant o unrhyw alaw Gymreig mewn pedwar llais. Cynhigiodd yr Arglwyddes Llanofer, a oedd yn nodedig am ei haelioni, wobr am y casgliad gorau o hen alawon Cymreig, nad oedd eisoes wedi eu cyhoeddi. Yn Eisteddfod y Fenni y bu'r gystadleuaeth hon hefyd. Yn yr un flwyddyn a'r llall (1838) meddai Bardd Alaw, ond y flwyddyn gynt (1837) yn ôl Brinley Richards (gwêl *Welsh Harper,* 1848, a *Songs of Wales,* 1873). Beth bynnag am hynny, Maria Jane Williams gafodd y wobr ac fe'i cyhoeddwyd yn 1844 dan yr enw "The Ancient National Airs of Gwent and Morgannwg." Diddorol dros ben yw ei hanes yn casglu'r alawon hyn. Gallwn edrych arni fel rhagflaenydd gwir i'r Dr. J. Lloyd Williams. Holai a chwilotai gan deithio o fwthyn i fwthyn, ac o dyddyn i dyddyn, gan bwyso ar yr hen bobl i ganu rhyw hen alaw, tra y copïau hithau yr alaw. Ymwelodd a phob math o ganwr neu gantores y gwyddai hi amdanynt. Rhoddai hefyd wahoddiad i amryw o delynorion a drigai yn y cylch i swper i Blas Aberpergwm. Buasai llawer iawn o'n alawon ni heddiw ymysg "pethau a fu" onibai am ymdrechion diflino y ferch alluog hon. 'Roedd Pencerdd Gwalia yn naturiol yn ymwelydd â Phlas Aberpergwm. Cafodd oes hir, a bu farw yn 78 oed. Gorffwys ei gweddillion yn Eglwys Aberpergwm.

Gellir olrhain llu o fân gerddorion yn y cyfnod yma, ond rhaid ymatal, oddigerth nodi enwau rhai. David Morris, Aberafan, 1804 - 1861; William Rees, Glandwr, 1799 - 1875. Cyhoeddwyd rhai o'i donau ef yn yr "Oes," cylchgrawn misol yn ardal Abertawe o 1825 i 1827, pryd y newidiwyd y teitl i "Lleuad yr Oes," yna John Wiliams, Abertawe, â oedd yn ei flodau yn 1837, a William Williams, a fu yn help i John Ryland Harris gyda'r " Grisiau

Cerdd Arwest," Silas Evans (Cynon), Aberdâr. Arweinydd corau oedd ef, a sefydlodd Gymdeithas Gorawl Abertawe.

Deuir yn awr i gyfnod diweddarach. Gwelir twf cerddoriaeth. Y mae'r Mus. Doc. a fu am gyfnod hir ym meddiant un Cymro wedi dod yn eiddo amryw a aned yn y Sir. Yn ychwanegol at Dr. Joseph Parry, ceir T. Hopkin Evans, D. Vaughan Thomas, David Evans, David de Lloyd a John Morgan Lloyd. Buasai Dr. Joseph Parry, neu Dr. Vaughan Thomas, ynddynt eu hunain yn destun traethawd. Ond gan fod Cofiant eisoes wedi ei gyhoeddi i'r ddau, ni wneir yma ond nodi rhai ffeithiau byrion. Ganed Dr. Parry ym Merthyr yn 1841. Symudodd ei rieni i Bennsylvania. Buont yn yr Unol Daleithiau am dros ugain mlynedd. Daeth Joseph Parry yn ôl fel darlithydd i Goleg Aberystwyth. Ni fu yno yn hir, daeth fel athro cerdd i Abertawe. Yma y bu llu o'i gyfoedion yn ddisgyblion iddo, fel Dan Protheroe, David Jenkins, J. T. Rees, Tom Price, D. C. Williams, a thyrfa fawr eraill. Symudodd i Gaerdydd i fod yn ddarlithydd yng Ngholeg y Brifysgol. Bu farw ym Mhenarth yn 1903. Dechreuodd "ei fyd" ym Morgannwg, ac er ei daflu o don i don, treuliodd y rhan olaf a'r mwyaf llwyddiannus o'i oes yn ei hen Sir. Ofer awgrymu yma am ei gyfansoddiadau. Ceir rhestr ohonynt, tua saith o dudalennau ar ddiwedd ei gofiant gan E. Keri Evans. Nid dyma'r lle i feirniadu gweithiau Dr. Parry. Ni cheir pawb i gytuno, nac i anghytuno, â'i weithiau. Efallai y bydd y ddwy farn ganlynol yn cyfleu syniad y mwyafrif o ddigon ar ei gyfansoddiadau. "Yr oedd gwres cenedlaethol yn llosgi yn ddirfawr ym mynwesau Bach a Wagner, ac felly Elgar yn Lloegr. Ac yn wir, yn Tanymarian, Dr. Parry, a John Thomas, a R. S. Hughes. Nid yw Ambrose Lloyd, Gwilym Gwent, Emlyn Evans, na David Jenkins, yn ein taro mor gryf . . . Rhaid i mi enwi rhai o emau Celtaidd Dr. Parry sydd fwyaf nodedig, fel yr unawd "Baner ein Gwlad," etc. . . . Dirgelwch a llwyddiant gyda ei donau i blant, oedd yr ysbryd Celtaidd sydd yn gwau drwy bob adran . . . yr ysbryd sydd yn gosod newydd-deb ynddynt." Tom Price yn ei Gofiant, td. 53.

"Nid wyf am fod yn gas, ond er mwyn celfyddyd cerddoriaeth yng Nghymru, dylwn ddweud ei bod yn hen bryd i ni anghofio miwsig Dr. Parry. Cymysgedd rhyfedd ydyw'r rhan fwyaf o'i waith o Handel, Beethoven a Mendelssohn (wedi ei drin a'i newid tipyn i'w wneud yn fwy blasus). Yr oedd ei gerddoriaeth yn boblogaidd yn wir, ond poblogaidd yn yr ystyr amrytaf, ac mor an-Gymreig a gwaith unrhyw gyfansoddwr o Sais yn yr un cyfnod . . ." Arwel Hughes yn Tir Newydd, rhifyn coffa D. Vaughan Thomas, Mehefin 1939. Tebyg fod pawb yn credu un o'r ddau. Yr oedd dylanwad Handel ar Tanymarian ac Ambrose Lloyd yn ddi-ddadl. Dylanwad Mendelssohn oedd fwyaf âr Parry. Bu Parry yn ddisgybl i Sir Sterndale Bennett yng Nghaergaint, a disgybl i Mendelssohn oedd Bennett. Felly yr oedd yn naturiol i raddau iddo efelychu ei feistri.

Er i lu enfawr o'n cerddorion fod yn ddisgyblion i Parry, fel y nodwyd eisoes, ni fu erioed yn boblogaidd fel athro. " Yr oedd ei ddiddordeb penaf mewn cyfansoddi. Nid oedd llawer o drefn arno fel athro, rhaid cydnabod. Nid oedd yn ei elfen o gwbl . . ." J. T. Rees yn ei gofiant, td. 103.

W. T. REES (ALAW DDU)

Ganed ef yn Nhre-Ialas ym Mro Morgannwg yn 1838. Ef yw awdur y ganig boblogaidd " Y Gwlithyn." Cyfansoddodd gantata "Y Bugail Da," ac operetta "Llewelyn ein Llyw Olaf." Bu'n golygu dau gylchgrawn, yr "Ysgol Gerddorol" a "Cerddor y Cymry." Y mae ei dôn " Glanrhondda " yn boblogaidd iawn, yn fwy felly na hyd yn oed " Rhyl " Ambrose Lloyd, neu "Llangristiolys" Dr. Parry. Symudodd i Lanelli cyn diwedd ei oes, ac yno y bu farw yn 1904.

TOM PRICE.

Yn Rhymni, Sir Fynwy, y ganed Tom Price yn 1857, ond fel TOM PRICE, MERTHYR, y cofir ef yng Nghymru. Daeth i Ferthyr yn ifanc. Aeth i'r gwaith glo i weithio yn ddeg oed. Mynnodd ddysgu rheolau cynghanedd a bu am dymor dan ddisgyblaeth Heman Gwent. Hoff weithiau ei fyfyriaeth oedd Albrechtsberger, Hamilton a Cherbubini. Cyfansoddodd gantawd, "Y Mab Afradlon," a tua 25 o anthemau. Y mwyaf poblogaidd o'r rhain yw "Efe a ddaw.' Dwedodd David Jenkins fod hon yn un o'r anthemau gorau sydd gennym. Cyfansoddodd hefyd dair canig, chwe darn i gorau Meibion, a rhai Rhan-ganau. Fel bron yn oll o'i gyfoeswyr, dechreuodd gyda'r Tonic Sol-ffa, yna ei A.C. ac wedyn y G. & L. Cynigiodd am Mus Bac., Toronto, yr un pryd a Dan Protheroe. Gresyn mawr i gerddor mor dda fod yn aflwyddiannus. Bu farw yn 1925.

MEGAN WATTS-HUGHES

Brodor o Ddowlais oedd hi. Ganed hi yn 1846. Bu farw yn 1907. 'Roedd yn gantores gyda llais eithriadol o dda pan oedd yn blentyn. Gwnaed casgliad iddi er mwyn cael addysg gerddorol. Can mlynedd yn ôl—1866—aeth i'r Academi Frenhinol. Yn ei thro gwnaed hi yn "King's Scholar." Golyga hyn wobr iddi o £500. Treuliodd y rhan fwyaf o'i hoes yn Llundain, ac yno y bu farw. Cyfansoddodd lawer o bethau canmoladwy, fel y gân i'r "Gwcw" a'i thôn gynulleidfaol enwog "Wilton Square." Yr oedd yn wraig grefyddol iawn, ac yn dipyn o wyddonydd. Dyfeisiodd beiriant i brofi bod gan gerddoriaeth liw a ffurf i'r llygad yn ogystal ag i'r glust. Pan yn Nowlais, bu hithau yn ddisgybl i Dr. Joseph Parry.

HARRY EVANS.

Tra yn pori mewn dychymyg ym "Mhorfeydd gwelltog" Aberdar, Merthyr, Dowlais a Dwyrain Morgannwg, crybwyllr yma am gyfansoddwyr yr ardaloedd hyn cyn dod at gerddorion yr offerynnau cerdd, a symud ymlaen yn raddol i Orllewin y Sir. Un o'r arloeswyr oedd Harry Evans. Ym Merthyr y ganed yntau yn 1873. Fel llu o'i gyfoedion cerddorol, dechreuodd gyda'r Sol-ffa. Bu ym Merthyr yn cario traddodiad Rosser Beynon am flynyddoedd cyn iddo symud i Lerpwl, lle y bu yn arwain Undeb Corawl Cymreig Lerpwl. Yr oedd yn un o'r arweinyddion gorau y wlad, meddai Syr Granville Bantock. Cyfansoddodd amryw o drefniadau ar alawon Cymreig fel "Gwyr Harlech" ac "Ar hyd y nos," etc. Ei ddau waith mwyaf yw'r cantawdau " The Victory of St. Garmon " a " Dafydd ap Gwilym." Perfformiwyd "The Victory of St. Garmon " am y tro cyntaf yng Nghaerdydd yn 1904, a " Dafydd Ap Gwilym " yn Llangollen yn 1908. Anwylyn oedd Harry Evans gan bawb a'i adwaenai. Bu farw yng nghanol ei lwyddiant yn 41 oed yn 1914, tua'r un amser â Syr Edward Anwyl. " O flaen adfyd, y cymerir y cyfiawn ymaith " oedd teimladau llu yn Awst 1914.

E. T. DAVIES.

Disgybl ac olynydd i Harry Evans fel organydd ym Merthyr, oedd Evan T. Davies. Ganed ef yn Nowlais yn 1878. Diolch i Ragluniaeth, y mae ef gyda ni heddiw. Cyfansoddodd lu o bethau bach twt a del, fel caneuon, rhanganau, darnau i'r piano, a Cherddoriaeth Ystafell (Chamber Music). Bu am dros ugain mlynedd yn Gyfarwyddwr Cerddoriaeth yng Ngholeg y Brifysgol, Bangor. Dwedir gan ein cerddorion heddiw y dylid mynd yn fwy Cenedlaethol i gael gwir gerddoriaeth y Genedl. Hynny yw, ymdrin mwy ag alawon gwerin. Os gwir hyn, y mae E. T. Davies wedi gwneud ei ran yn dda ac yn helaeth. Y mae argraff y traddodiad Cymreig yn gryf ar ei weithiau. Y mae mynd gyda blas ar amryw o'i ganeuon fel "Aderyn y to " ac " Ynys y plant." Yr oedd yn un o olygyddion Llyfr Tonau y Methodistiaid Calfinaidd a Methodistiaid Wesleaid. Cywilydd mawr i Brifysgol Cymru nad ydyw wedi anrhydeddu y cerddor athrylithgar hwn.

D. CHRISTMAS WILLIAMS.

Ni ellir gadael Merthyr heb sôn am y Dr. D. Christmas Williams. Er mai brodor o Lanwrtyd oedd ef, ganwyd yn 1871, daeth i Ferthyr yn ifanc, ac yno y treuliodd y rhan fwyaf o'i oes. Oddi yno, y cawsom ffrwyth ei lafur mewn cyfansoddiadau. Ei waith mwyaf yw y " PSALM OF PRAISE." Am un cyfnod, bu bri mawr ar rai o'i ddarnau i gorau meibion, ac erys ei anthem "Dyn a aned o wraig" yn un o'r mwyaf poblogaidd sydd gennym heddiw. Nid oes tôn cynulleidfaol, nac anthem, na chor-gân o'i waith yn Llyfr Tonau newydd y Methodistiaid Calfinaidd na

Wesleaidd. Ni wyddys paham, ond gresyn mawr er hynny. Bu farw yn 1926.

Yn yr un cyfnod, ceid amryw o gerddorion wrthi'n ddygn yn eu ffordd eu hunain yn ceisio gwneud eu rhan yn natblygiad canu cynulleidfaol, drwy gyfansoddi anthemau bychain, tonau i blant, yn ogystal a thonau cynulleidfaol. Anodd olrhain pob A.C., neu L.T.S.C. a godwyd yn y Sir. Gwyddys am ugeiniau ohonynt—gweision da a ffyddlon. O fysg y rhain, nodir dim ond dau.

JOSEPH R. LEWIS (ALAW RHONDDA).

Treuliodd ei oes yn y Rhondda Fach. Bu ei dôn ar y geiriau "Dros bechadur buost farw" yn boblogaidd am amser hir yn ystod Diwygiad 1904 - 5. Hyd yn oed heddiw, fe glywir "Nazareth" yn aml gan rai sydd wedi cadw hen raglenni cymanfaoedd canu. Un tro, pan oedd Dr. David Evans yn arwain cymanfa ganu, galwodd arno o'r gynulleidfa i ddod ymlaen i arwain anthem fechan o'i waith. Ni ddaeth, ond trodd ei ben at y mur yn wylaidd gan dynu ei law dros ei dalcen.

Y llall yw GWILYM JAMES, Ferndale. Cyfansoddodd lawer o donau i blant ac anthemau bychain. Y mae llawer iawn o ganu heddiw ar "A oes canu yn y Nefoedd," a'r "Nefol Gôr." Cynrychiola'r ddau hyn lu mawr o gerddorion gwerin, neu gerddorion cefn gwlad (fel dwed y beirdd) ar ddechrau y ganrif hon.

W. J. EVANS.

Tad y diweddar Brifathro Leslie Evans, Aberystwyth. Gwnaeth yntau waith mawr ynglŷn â chanu cynulleidfaol. Yr oedd yn un o olygyddion y "Caniedydd Cynulleidfaol Newydd" yr Annibynwyr, a cheir tonau o'i waith ynddo. Cyhoeddwyd y "Caniedydd Cynulleidfaol Newydd" yn 1921.

MOSES OWEN JONES.

Ganed ef yn 1842 yn Llanddeiniolen. Daeth i Dreherbert yn llanc ifanc fel ysgolfeistr ac yno y treuliodd ei oes. Bu farw yn 1908. Gwnaeth yntau ddiwrnod da o waith ym myd cerddoriaeth, yn arbennig caniadaeth y cysegr. Yr oedd ef yn un o olygyddion y "Caniedydd Cynulleidfaol" o flaen yr un presennol. Y mae ganddo gyfrol, a oedd yn fuddugol yn Eisteddfod Genedlaethol Llundain yn 1887, sef "Bywgraffiadau o Gerddorion Cymreig." Sonir yn aml am ganu y Rhondda. Ni buasai y peth ydyw, onibai am M. O. Jones a rhai cyffelyb iddo.

CYRIL JENKINS.

Gŵr amlwg iawn yn ardal Pontypridd a'r Rhondda. Yr oedd Syr Granville Bantock a gair uchel i'w gyfansoddiadau. Naturiol oedd hynny, gan fod y briod-ddull Saesneg yn amlwg gan Jenkins. Ni fu yn boblogaidd fel cyfansoddwr.

DR. T. D. EDWARDS.

Ganed ef yn yr Unol Daleithiau, America, ond cyfrifir ef fel brodor o Drehopcyn, Pontypridd. Y Cymro cyntaf gafodd ei anrhydeddu â Mus. Doc., Toronto (Hons. degree). Fel cyfeilydd, bu galw mawr am ei wasanaeth. Cyfansoddodd amryw o ddarnau i'r piano a phethau bach ysgafn fel " Fairy Footsteps," etc. Mae un o'i donau yn boblogaidd iawn. sef " Rhyd-y-Groes." Yr oedd yn athro cerdd llwyddiannus iawn. Bu farw ym Morth Madog yn 1930, yn 55 oed. Gorwedd ei weddillion ym Mynwent Glyntaf, Pontypridd.

MORFYDD LLWYN OWEN.

Ganed hi yn Nhrefforest, Pontypridd, yn 1892. Gogleddwr oedd ei thad, a chan ei fod yn hoff o gerddoriaeth, rhoddodd addysg gerddorol iawn iddi, ac aeth i Goleg y Brifysgol, Caerdydd, dan yr Athro David Evans, am dair blynedd. Wedi hynny, aeth i'r Royal Academy of Music, ac o hynny ymlaen bu ei gyrfa yn ddisglair dros ben. Gyrfa fer, mae'n wir, ond cyfansoddodd lawer o bethau da a ddeil yn artistic am flynyddoedd maith. "A Nocturne" a "Morfa Rhuddlan" yw rhai o'i gweithiau pwysicaf Unawd o'i gwaith sydd a bri arni y dyddiau hyn yw " O'th flaen o Dduw 'rwyn dyfod." Cyfansoddodd ddarnau godidog i'r offerynnau fel "Romance" i ffidil a'r piano. Yr oedd ei thôn " William " yn addo i ni rhywbeth newydd yng nghynganeddion tonau cynulleidfaol, ond torrwyd y tannau yn gynnar. Yn ei lyfr " Cerddoriaeth yng Nghymru " dwed Mr. Idris Lewis ei bod yn dair a'r hugain oed pan gymrodd hi gerddoriaeth yn astudiaeth o ddifrif. Ond ni all hyn fod, bu farw yn 1918 yn 26 oed. Yr oedd eisoes wedi bod ym Mhrifysgol Caerdydd am dair blynedd, ac yna i'r R.A.M. Enillodd y radd o Mus. Bac. Prin y gallasai gymryd cerddoriaeth yn astudiaeth o ddifrif yn 23 oed, a marw ymhen dwy flynedd. Ychydig amser cyn ei marw, priododd â Dr. Ernest Jones.

DR. JOHN MORGAN LLOYD.

Ganed ef yn 1880 yn Pentre, Rhondda. Symudodd ei rieni i'r Barri pan oedd John Morgan Lloyd yn fachgen tua deg oed, ac yno y bu Dr. Lloyd yn byw ar hyd ei oes. Daeth yn olynydd i Dr. David Evans fel Athro Cerdd yng Ngholeg y Brifysgol, Caerdydd, yn 1939. Ni ysgrifennodd lawer. Ei waith mwyaf uchelgeisiol yw " Te Deum " yn Llyfr Tonau y Methodistiaid. Cyfansoddodd rai caneuon ac y mae un o honynt, sef "Alwen hoff " yn dangos arddull nodedig. Y mae ei fadrigal " Wele gawell Baban glân " yn boblogaidd ac yn enghraifft dda o'i fedr fel cerddor. Bu yntau farw yn 1960.

DR. CHARLES DAWE.

Brodor o Taibach, Port Talbot, ond a dreuliodd y rhan fwyaf o'i oes yn America. Yn Cleveland (Ohio) yr oedd olaf hyd ei farwolaeth yn ddiweddar. Efe sefydlodd, ac yn arweinydd, Côr Meibion yr Orpheus. Bu yn beirniadu yn yr Eisteddfod Genedlaethol droeon. Yr oedd yn Eisteddfod Ystradgynlais yn 1954 ac ef ddadorchuddiodd y plâg ar y tŷ lle ganed Dr. Daniel Protheroe. Yr oedd y ddau yn gyfeillion mawr.

GRACE WILLIAMS a MANSEL THOMAS.

Dau o gerddorion gloewaf Cymru ydynt hwy. Un o'r Barri yw Grace Williams, merch cyn arweinydd côr bechgyn Romili, sef W. M. Williams. Un o Tylorstown, Rhondda Fach, yw Mansel Thomas. Y mae'r ddau yma yn gerddorion gwych. Y maent eisoes wedi cyfansoddi llawer, a'r beirniaid yn ffafriol iawn i'w gweithiau. Gan fod gennym unwaith eto Gerddorfa Gymreig dan arweiniad Mansel Thomas, disgwylir " pethau gwych i ddyfod." Y mae'r ddau erbyn hyn yn amlwg fel cyfansoddwyr meistrolgar.

DR. DANIEL JONES.

Cerddor cyfoes. Brodor o Abertawe. Dwedir am dano ei fod yn cyfansoddi cerddoriaeth cyn ei fod yn gwybod y wyddor yn iawn. Aeth ati o ddifrif pan yn 16 oed. Erbyn heddiw, mae wedi cyfansoddi caneuon, sonatas, overtures, suites i'r gerddorfa, a chamber music. Mae ganddo gynlluniau newydd ar hyn o bryd, yr opera. Mae wedi cyfansoddi chwech symffoni. Cafodd lwyddiant eithriadol fel myfyriwr. Enillodd ysgoloriaeth y " Mendelssohn Travelling Scholarship." Galluogodd hon iddo fynd i Vienna, Amsterdam, Budapest a Rhufain. Dwed Berta Lipman iddo gael ei bendroni gymaint yn Rhufain nes iddo feddwl aros yno.

Cantorion

GAN fod Sir Forgannwg wedi bod mor gyfoethog o gyfansodd-wyr, priodol iawn yw iddi fod wedi magu cantorion glewion. Ni wneir ond eu henwi yn unig, canys trwyddynt y gellir gwerth-fawrogi talent a medr y cyfansoddwyr.

MAGGIE DAVIES, DOWLAIS.

Galwyd hi yn " Welsh Patti." Bu am chwe mlynedd yn y R.A.M. Soprano enwog ei dydd.

S. A. WILLIAMS — Penn.

Un o Bontypridd. Bu yn yr R.A.M. o dan Signor Fiori. Bu yn enwog fel soprano am flynyddoedd. Tebyg i Eisteddfodwyr ei chlywed yn Eisteddfod Genedlaethol Treorci yn 1928.

DANIEL PRICE.

Baritone o Ddowlais. Bu yn ddisgybl i Visetti, Dr. Bridge a Dr. Stanford yn y R.A.M.

LUCAS WILLIAMS, o Drefforest, Pontypridd.

Symudodd i Stockton-on-Tees. Ni allai siarad Cymraeg tra yn Nhrefforest, ond dysgodd yr iaith wedi mynd i Loegr. "Gorau Cymro, Cymro oddi cartref" oedd ei brofiad ef. Baritone a llais cyfoethog ganddo. Bu fel Ffrancon Davies yn enwog unwaith fel un a gymerai ran " Elijah " yn y cyfanwaith hwnnw.

MAGGIE CURVIS

Un o Benarth. Ganed hi yn 1869. Cafodd ei gwersi cyntaf gan Clara Novello Davies. Yn ddiweddarach bu dan Gustave Garcia yn y R.A.M. Bu mewn bri am ysbaid maith.

CEINWEN JONES, o Gwm Ogwr, ger Penybont.

Ganed hi yn 1872. Contralto enwog yn Ne Cymru.

SACKVILLE EVANS.

Ganed ef yn Nowlais yn sŵn Diwygiad '59. Cafodd ei addysg yn Ffrainc. Baritone a ennillodd fri yn Lloegr yn bennaf.

MAY JOHN.

Ganed hi yn Ystrad Rhondda. Bu hi yn boblogaidd fel " Sweet Soprano " hyd rhyw ugain mlynedd yn ôl. Athrawes ysgol oedd hi, a bu hithau yn y Royal Academy of Music. Bu farw yn ddiweddar.

DAVID CHUBB, Pontypridd (Baritone).

Ysgolfeistr oedd ef.

Rhai eraill o Bontypridd yw Madame Mills-Reynolds (soprano), B. Gregory Evans (Baritone), dau a fu galw beunydd arnynt un adeg. Ivor Foster, Penygraig, Tom Bonnell o'r Rhondda, y tenor poblogaidd. Amy Evans, Tonypandy (soprano), a phwy na chlywodd am Eos Morlais a Harry Lewis Nelson? Hwyrach na ellir galw awdur ein hanthem Genedlaethol yn gerddor, nac unawdwr, ond un o Bontypridd oedd awdur "Hen Wlad fy Nhadau." Gwelir Tablet Coffa iddo ar y tŷ y trigai ynddo yn Heol y Felin, a hefyd Cofadail iddo ym Mharc Ynysangharad.

Offerynyddion

FEL y gwyddys, prin iawn fu offerynyddion yng Nghymru. Ond efallai y cyfyd rhai o fri, gyda gweithiau cerddorol y to sy'n codi.

Yr organ a'r piano oedd y ddau offeryn a ddenai sylw am gyfnod. Yn ychwanegol at fod yn gerddorion o fri, 'roedd Harry Evans ac E. T. Davies yn organyddion gwych, ac yn boblogaidd yn eu hardal fel F.R.C.O.'s eu dau ymhell cyn dod i sylw Cymru gyfan. Daeth llu yn F.R.C.O. yn eu tro, ond ar wahan i hynny, ychydig o rai fu yn ymddifyrru mewn ffidil, crwth ac offerynnau llinynnol eraill. Ond bu arloeswyr cynnar yn ceisio cael gan Gymry i werthfawrogi ac i ddeall cerddoriaeth ynddo ei hun ar wahan i eiriau, ac fod gan fiwsig ei neges arbennig ei hun i fynegi a dehongli neges y cyfansoddwyr. Yma, unir Dwyrain a Gorllewin Morgannwg am nad oes ond ychydig ohonynt.

Un o'r arloeswyr hyn oedd FREDERIC GRIFFITH. Brodor o Abertawe oedd ef, ac fe'i ganed yn 1867. Aeth a'r wobr yn y dair Eisteddfod Genedlaethol oedd yn dilyn, sef Caerdydd, Lerpwl ac Aberdâr, 1892 - 3 - 4, am unawd ar y piccolo, peth newydd mewn Eisteddfodau. Dywaid rhai iddo ennill yn Eisteddfod Genedlaethol Merthyr gyntaf am yr un orchwyl yn 1891. Beth bynnag am hynny i'r R.A.M. yr aeth yntau o dan Oluf Svendsen am bedair blynedd. Wedi hyn, aeth i Baris i fod dan athrawiaeth Paul Taffanel, un o ffliwtydd mwyaf Ewrob yn ei ddydd. Daeth Frederic Griffith ymlaen i'r rheng flaenaf fel offerynnydd, a bu yn cymryd rhan yn rhai o Gyngherddau pwysicaf y Deyrnas. Bu ar daith un tro yn cynnal cyngherddau gyda Dame Melba. Ef oedd y ffliwtydd yn y gerddorfa pan berfformiwyd "Ivanhoe" gyntaf. Ar gais arbennig Syr Arthur Sullivan y gwnaeth hynny. Bu yn solo-flautist yn y Royal Italian Opera yn Covent Garden. Ar wahân i hyn, un o'r pethau gorau o'i waith yw ei Ragymadrodd i "Notable Welsh Musicians" edited by Frederic Griffith. Dyddiad ei Ragymadrodd yw Chwefror 1896. Ynddo, ymdrin a'n diffyg fel Cenedl o werthfawrogi offerynnau Llinynnol. Y mae yn llym, yn gwrtais, ac yn deg. Geilw ei ragymadrodd yn " The Musical Art in Wales." Y mae hanner can mlynedd er hynny, ac o'i ddarllen heddiw, gwelir nad ydym wedi symud fawr ymlaen yn y cyfeiriad yna. Ond ceir argoelion ein bod yn deffro ychydig.

THOMAS WESTLAKE MORGAN.

Organydd enwog un cyfnod. Arolygydd Ysgolion oedd ei dad, a chafod Westlake addysg dda. Bu yng Nghaergaint, ac yn ddiweddarach, daeth yn gynorthwywr i'r Dr. A. H. Mann yng Ngholeg Caergaint. Bu yn ddisgybl i Dr. F. E. Gladstone a Syr Walter Parratt. Daeth i Ferthyr yn organydd i Eglwys Dewi Sant, ac i arwain y Merthyr Philharmonic Society. Oddi yno, aeth yn organydd i Brif Eglwys Bangor. Efe oedd sylfaenydd a'r ysgrifennydd cyntaf yr " Incorporated Society of Musicians." Bu'r Gymdeithas hon yn bwysig un amser a pherthynai llu o gerddorion Morgannwg iddi.

GWENDOLYN TOMS oedd bianydd a galw mawr arni ar ddechrau'r ganrif hon. Enillodd ysgoloriaethau un ar ôl y llall yn y Royal Academy of Music. Un o Abertawe oedd hi.

MERLYN MORGAN o Aberdar oedd bianydd arall. Yr oedd ef yn ffidler dan gamp hefyd, ond fel pianydd yr aeth drwy ei arholiadau gyda'r R.A.M. a'r R.C.M.

RALPH LIVESEY.

Ganed ef yng Nghyfarthfa, Merthyr, yn fab i George Livesey, arweinydd Seindorf Cyfarthfa. Y French Horn oedd ei hoff offeryn ef. Bu yn canu hwn gyda'r Royal Italian Opera Co., German Opera, a'r Birmingham Festival, a'r Promenade Concerts Covent Gardens. Ychydig yng Nghymru oedd yn ffafriol i'r offeryn hwn hanner can mlynedd yn ôl. Pe buasai Livesey yn fyw heddiw, tebyg y buasai yn bur gymeradwy.

WILLIAM JOHN GRIFFITHS

Ganed ef yng Nghaerdydd yn 1892. Dygwyd ef yn faban i Aberpennar (Mountain Ash) at ei ewythr a'i fodryb, Mr. a Mrs. John Bumford. Hwy a'i magodd. Fel Wil John Bumford yr adweinid ef yno. Ymhen blynyddoedd, mabwysiadodd yntau'r enw fel Bumford-Griffiths. Y piano ac offerynnau cerdd oedd yn mynd a'i fryd pan yn fachgen yn Aberpennar. Aeth drwy amryw o'r arholiadau gyda'r piano, a daeth yn organydd Rhos, Eglwys y Bedyddwyr. Daeth uchafbwynt ei ddyhead pan y cododd gerddorfa a daeth penllanw honno yn Eisteddfod Genedlaethol Rhydaman yn 1922. Darganfyddodd un o'r beirniaid, Syr Walford

Davies, allu a medr arweinydd un cerddorfa ag oedd yn y gystad-
leuaeth, fel y cynghorodd ef i fynd am ragor o addysg gerddorol.
Aeth am gwrs i Aberystwyth. Oddi ar hynny, gwelir ei dwf yn
amlwg. Gellir yn hawdd gynwys W. J. Bumford-Griffiths yn un
o'n harloeswyr ni yn y ganrif hon gyda cherddoriaeth yr offerynnau
llinynnol. Bu farw yn 1950 yn 58 oed.

Arweinyddion Corau

GRIFFITH RHYS JONES a adwaenid drwy Gymru gyfan fel
"CARADOG." Nid oherwydd ei orchest ym Mhalas
Crystal y cafodd yr enw Caradog. Cyn bod yn ugain oed,
ffurfiodd gôr bychan yn Aberdar. Enwyd y côr bach yn
"Gôr Caradog." Enillodd y côr yma mewn Eisteddfodau lleol.
Pan enillodd y tro cyntaf, galwodd yr arweinydd am i "Caradog
ddod i'r Llwyfan," a Charadog bellach oedd Griffith Rhys-Jones.
Llys-enw, yn hytrach na ffug-enw ffasiynol yr Orsedd oedd yr
hyn a gafodd ef. Ganed Caradog yn Nhrecynon, ger Aberdâr, yn
1834. Yr oedd yn medru canu'r ffidil yn ddeheuig pan yn fachgen.
Uchafbwynt llwyddiant ei gôr oedd y gystadleuaeth ym Mhalas
Crystal yn 1872. Y wobr oedd Cwpan gwerth mil gini a chan
punt. Nid oedd yno gystadleuaeth, felly rhwydd iawn oedd i'w
gôr gael y wobr. Y flwyddyn ganlynol, daeth côr o Lundain dan
arweiniad Proudman, i'r gystadleuaeth. Gelwid y côr hwn yn
"Paris Prize Choir." Enillodd côr Caradog y tro hwn eto.
Dyma'r cyfnod y daeth corau Cymreig y ganrif ddiwethaf i'w
llawn twf. Y beirniaid yn y gystadleuaeth hon oedd Syr Joseph
Barnby, Syr John Goss a Syr Julius Benedict. Yn ychwanegol at
y wobr swyddogol, cafodd Caradog ddau fatwn aur yn anrheg,
un gan Gymry Awstrelia, a'r llall gan Gymry Califfornia. Y
mae'r rhain, a baner y côr, yng Ngholeg y Brifysgol, Aberyst-
wyth (os nad ydynt wedi eu symud i'r Llyfrgell Genedlaethol).
Anrhegodd Richard Fothergil ef â medal aur, a phob aelod o'r
côr â medal arian. Gorwedd ei weddillion yn hen Eglwys Blwyf
Aberdar. Saif cofgolofn iddo ar y sgwar yn y dref honno. Erbyn
heddiw mae wedi cael ei symud er mwyn y trafnidiaeth prysur
sydd yno.

CLARA NOVELLO DAVIES.

Bu hi yn enwog a'i chôr yn boblogaidd am gyfnod maith.
Ganed hi yn 1861 yng Nghaerdydd. Canai'r piano mewn cyngerdd
yn ddeg oed. Bu yn gyfeilydd i gôr ei thad, sef y "Cardiff Blue
Ribbon Choir." Priododd â David Davies pan yn 22 oed. Ar-
weinydd y "Welsh Ladies' Choir" oedd hi. Aeth â'i chôr i'r

Unol Daleithiau yn 1893. Yno, buont yn llwyddiannus iawn. Ȳ flwyddyn ganlynol (1894), gorchmynwyd hi gan y Frenhines Victoria i ymddangos ger ei bron yn Osborne. Yr oedd amryw o Bennau Coronog Ewrob yno. Wedi'r oruchwyliaeth yma y rhoddwyd y gair " Royal " o flaen y " Welsh Ladies' Choir." Yn 1895, aeth y côr i'r America drachefn. Gyrfa lefn a llwyddiannus gafodd Clara Novello Davies a'i Chôr, a rhyngddynt gwnaethont ymdrech dda i godi safon gorawl Cymru yn gyffredinol, a Morgannwg yn arbennig.

JACOB DAVIES.

Tad Clara Novello Davies. Ganed ef yn Sain Ffagan yn 1840. Rhoddodd ef arweinyddiaeth côr y "Blue Ribbon" i fyny yn 1887, a fiurfiodd gôr arall, sef y "Cardiff Choral Union." Yr amcan yma oedd cynnal cyngherddau bob nos Sadwrn yn Neuadd y Parc, Caerdydd, yn ystod misoedd y gaeaf, i geisio codi chwaeth y lliaws tuag at ganu corawl. Llwyddodd. Bu'r cyngherddau hyn yn fendith fawr am dros bum mlynedd. Bu hefyd yn symbyliad i'w ferch gyda'i chôr. Aeth gyda hwynt i'r Unol Daleithiau y tro cyntaf, ac i Osborne. Efe gyflwynodd ei ferch a'i chôr i'r Frenhines yr adeg honno.

DAN DAVIES, DOWLAIS.

Ganed ef yno yn 1860. Cododd y " Dowlais Glee Society." Yr oedd Maggie Davies (The Welsh Patti), Dan Price a John Sandbrook yn aelodau o'r côr bach yma. O'r côr hwn y cododd y côr mawr, "Dowlais Harmonic Society." Ychydig wedi hyn, ffurfiwyd côr cyffelyb ym Merthyr, sef y " Merthyr Choral Society." Symudodd Dan Davies i fyw i Ferthyr er mwyn bod yn arweinydd i'r côr newydd yma. Yr oedd yn gystadleuydd peryglus mewn Eisteddfodau, ac fel amryw o arweinyddion a chorau cyffelyb y cyfnod yma, perfformiodd weithiau'r Meistri droeon yn ardal Merthyr a Dowlais.

RHYS EVANS.

Un o Sir Gaerfyrddin oedd Rhys Evans, ond daeth i Aberdar yn ifanc iawn. Bu yn arweinydd yr "Aberdare Choral Union." Pan symudodd Caradog o Aberdar, efe oedd ei olynydd fel arweinydd y Côr Undebol. Côr Aberdar oedd hwn ond côr wedi ei bigo o bob man yn Ne Cymru oedd y Côr Mawr " aeth i Balas Crystal yn 1872-3. Mab iddo oedd W. J. Evans y cyfeiriwyd ato eisoes.

THOMAS GLYNDWR RICHARDS.

Un o Faesteg. Ganed ef yn 1859 ym Mhontycymer. Daeth i fri fel arweinydd côr meibion, a thrachefn yn Aberpennar. Yn y lle olaf cafodd gerddorfa i wasanaethu ar y Sul ym Methania Cae Garw. Gan mai hwn oedd yr unig un yn yr ardal am

24

flynyddoedd maith, yr oedd sôn a bri ar "String Band" Cae Garw. Teithiodd Glyndwr Richards a'i gôr yr Unol Daleithiau fwy nag unwaith. Cyfansoddodd amryw o donau cynulleidfaol. Yr oedd yn llawn hiwmor, ac yr oedd gan y diweddar Dr. Hopkin Evans feddwl uchel o honno. Gorffwys ei weddillion ym mynwent Maes-yr-Arian, Aberpennar.

W. T. SAMUEL.

Y nesaf at Eleaser Roberts ac Ieuan Gwyllt, gellir rhoddi W. T. Samuel yn un o arloeswyr y Tonic Sol-ffa. Brodor o Gaerfyrddin ydoedd a aned yn 1852. Ond ym Morgannwg y bu ei yrfa yntau fel arweinydd corau. Bu yn Aberystwyth dan athrawiaeth Dr. Parry. Yn 1880, aeth i Abertawe a ffurfiodd gôr yno, yr "United Choir" fel y gelwid ef. Bu yn is-lywydd Cymdeithas y Tonic Sol-ffa. Efe hefyd sefydlodd " Cynhadledd Tonic Sol-ffa De Cymru," a bu yn Llywydd iddi ar y dechrau ac yn Ysgrifennydd yn ddiweddarach. Symudodd i Gaerdydd ac yno bu o wasanaeth mawr i'r lle.

TOM STEPHENS, Pentre Rhondda.

Brodor o Sir Gaerfyrddin oedd yntau ond symudodd yn llencyn ifanc iawn i Aberdar. Yno, bu yn aelod o gôr Caradog a chôr Rhys Evans. Daeth yn is-arweinydd i'r olaf. Yn 1878, symudodd i Ton Pentre. Yno, cododd gôr a fu un adeg yn enwog iawn, sef y " Rhondda Glee Society." Enillodd y côr hwn deirgwaith yn yr Eisteddfod Gcncdlaethol, ac yn " Ffair y Byd, Chicago.

WILLIAM THOMAS, TREORCI

Brodor o Aberpennar. Cododd gôr yno cyn ei fod yn ddeunaw oed. Symudodd i Dreorci a chododd gôr meibion ac ymhen amser cododd gôr cymysg. Bu yn llwyddiannus droion gyda'i Gôr Meibion mewn llu o Eisteddfodau, ond côr i berfformio gweithiau'r Meistri oedd y côr cymysg benaf. Cododd William Thomas gyda'r côr hwn safon canu yn y Rhondda. Ei olynydd oedd J. T. Jones, yr hwn a gadwodd y safon yno am flynyddoedd. I mewn i'r traddodiad hwn yr aeth John Hughes, Cyfarwyddwr Cerdd Sir Feirionydd 'hyd yn ddiweddar, ond William Thomas a'i cychwynodd.

RHYS EVANS, PORTH.

Bu ef yn arweinydd côr er mwyn canu, ac nid er mwyn cystadlu. Perfformiodd ef a'i gôr yr Oratorios ar ddydd Nadolig yn Salem, Porth, am dros ddeugain mlynedd, hyd y Rhyfel Mawr diwethaf (1939 - 45). Bu ei ymdrechion ar hyd yr amser, nid er mwyn elw, ond er mwynhad o'r gwaith, a dyrchafiad canu yn yr ardal.

Gorllewin y Sir

NID llai pwysig yw'r cantorion o Orllewin y Sir. Brithir yr ardaloedd hyn gan y rhai sydd dda ganddynt ganu.

Datgeinydd o Gwm Tawe, a ddaeth yn fyd enwog, oedd BEN DAVIES. Ganed ef ym Mhontardawe yn 1858. Aeth i'r Royal Academy pan yn ugain oed. Yno bu'n ddisgybl i Signor Randeggar. Wedi gorffen ei gwrs yno, ymunodd â'r Carl Rosa Opera Company. Priododd â Miss Clara Perry. Yr oedd yn aml yn Covent Garden, ac wedi ei daith yn yr Almaen, cydnabyddid ef fel un o denorion mwya'r byd. Fel datgeinydd, 'roedd yn ffefryn gan y Frenhines Victoria. Cychwynodd ei yrfa fel baritone, ond fel tenorydd yr anfarwolodd ei hun. Bu farw yn 1943, yn 85 oed.

J. JONES-HEWSON.

Ganed yn Abertawe yn 1874. Yn ystod ei flynyddoedd cynnar y ffidil oedd ei offeryn, a daeth yn feistr arni. Pan symudodd i Lundain, cynghorodd ei gyfeillion ef i gymryd gwersi er datblygu'r llais. Daeth yn enwog mewn operau. Yn goron ar y cwbwl, galwodd Syr Arthur Sullivan arno yn 1895 i gymryd rhan Pish-Tush yn y "Mikado" yn y Savoy.

DAVID HUGHES, LANDORE.

Baritone enwog ac adnabyddus oedd David Hughes. Ganed ef yng Nglandwr, ger Abertawe, yn 1863. Fel llu eraill, cychwynodd ei yrfa drwy gystadlu mewn Eisteddfodau, a gorffen yn y Royal Academy, ac yno, fel amryw o Gymry o'i flaen, cafodd yr Evill Prize. Canodd ef a Harry Lewis, a May John gyda'i gilydd gannoedd o weithiau, yn arbennig yn y "Creation." Bu farw yn 1921, yn 58 oed.

HANNAH JONES, SGIWEN.

Contralto y bu galw mawr am ei gwasanaeth tua hanner can mlynedd yn ôl oedd hi. Bu yn llwyddiannus yn yr Eisteddfodau pan yn ifanc. Aeth hithau i'r R.A.M. Cymerodd ran mewn cyngherddau pwysig. Yn ystod ei gyrfa, canodd gyda Adelina Patti, ac mewn cyngerdd i anrhydeddu Liszt yn 1885 (blwyddyn cyn ei farw). Diddorol yw sylwi ar hanes ein cantorion yn ystod y rhan olaf o'r ganrif diwethaf, a dechrau hon, bu y rhan fwyaf ohonynt yn y Royal Academy of Music.

JOHN DAVID SMITH.

Baswr trwm oedd ef. Ganed ef yn Ystalyfera, Cwm Tawe. Dwedai gwasg ei ddydd am dano: " He reminds us of the days of Formes and Lablache." Campwr o faswr i gymryd rhan

Goliath yn " David and Goliath " (D. Jenkins) fel y gellir tystio. Ond nid fel John David Smith o Ystalyfera y daeth yn enwog, ond dan yr enw BARRY LINDON. Un arall o gynhyrchion y R.A.M. Y mae'n rhyfedd fel y daeth bri i lawer Cymro o newid enw.

OLIVE GREY.

Contralto. Genedigol o Faesteg. Ar gyngor pendant Pencerdd Gwalia yr aeth hi i'r Royal Academy. Cafodd y medalau arian ac efydd am ei chanu. Dau o'i hathrawon oedd F. R. Cox a Signor Fiori.

TREVOR EVANS

Brodor o Dreforus oedd y tenorydd hwn. Ganed ef yn 1866. Bu yntau yn y Royal Academy, ac wedi hynny bu yn ddisgybl am flwyddyn i Sims Reeves.

JOHN WALTERS.

Baritone o'r Sgeti. Manteisiodd yntau ar y cyfle gafodd o gael addysg. Aeth yn gyntaf o dan Dr. Joseph Parry, ac yna i'r R.A.M.

Cyfansoddwyr

YR wyf fi fy hun yn hoffi'r gair cyfansoddwyr ynglŷn â cherddorion, er nad yw yn boblogaidd gan gerddorion heddiw. Beth bynnag am hynny, nid yw neb yn fwy na llai o gerddor oherwydd yr enw neu'r nôd a roddir arno ef a'i gynhyrchion. Deuwn yn awr at gerddorion ein dyddiau ni.

DR. DAVID De LLOYD.

Ganed ef yn Sgiwen yn 1883. Yn nodweddiadol o gydieuenctid ei ddydd, yr oedd yn sol-ffawr tanbaid, a da deall er maint y dyrnu fu (ac sydd o ran hynny) ar y cyfundrefn honno, deil Dr. De-Lloyd yn frwd dros "yr hen nodiant newydd yma," ys dwedodd Tanymarian. Yr oedd ei dad, Morgan De Lloyd, yn L.T.S.C., felly cafodd gefndir da. Ym Mhrifysgol Dulyn y cafodd y radd Mus. Doc. ac o 1926 hyd ei farw yn Awst 1948, bu yn Athro cerdd yng Ngholeg y Brifysgol, Aberystwyth. Cyfansoddodd (neu yn hytrach ysgrifennodd) rai pethau i'r gerddorfa'n unig. Nid yn aml y clywir am gerddorion cymreig yn ysgrifennu Opera, ond dyma ddwy ganddo, " Gwenllian " a " Tir-Na-N'og." Ysgrifennwyd Libreto'r cyntaf gan Eurwedd, a'r olaf gan T.

Gwynn Jones. Er hynny, y mae Dr. De Lloyd yn fwy hoff o ysgrifennu ar gyfer corau nac i offerynnau. Ysgrifennodd drefniadau o alawon gwerin a rhanganau, ac un cantata i blant, sef "Dydd a Nos." Mewn un peth, 'roedd yn debyg i'r Dr. Vaughan Thomas. Ymddiddorai yn y cynganeddion. Prawf o hynny yw ei gyfansoddiad "Englynion ar gân."

DR. DAVID EVANS.

Y mae enw David Evans bellach fel enw Joseph Parry drwy Gymru gyfan. Ganed ef yn Resolven yn 1874. Bu fel llu o'i gyfoedion yn ddisgybl i Dr. Parry. Bu yn Llundain am gyfnod. Darlithydd ym Mhrifysgol Caerdydd oedd Parry, a David Evans a'i dilynodd. Ond yn 1908 sefydlwyd Cadair Cerdd yno, a bu Dr. Evans yn Athro Cerdd hyd ei ymddeol yn 1939, cyfnod o 31 o flynyddoedd. (Un mlynedd a'r hugain yn ôl llyfr Mr. Idris Lewis, td. 52). Dechreuodd yntau gyda'r Sol-ffa, nes cyrraedd y radd o Mus. Doc., Rhydychen, yn 1914. Ei brif weithiau yw " The coming of Arthur," " Gloria," " Deffro mae'n ddydd," ac "Alcestis." Yn ei donau cynulleidfaol a'i anthemau, gwelir yn amlwg y ffurf newydd ar gynghanedd. Mor wahanol dweder yw cynghaneddiad ei anthem " Ei Saint Ef " i ran fwyaf o'r anthemau eraill. Y mae Dr. David Evans yn fawr ei barch, ac yn anwylyn ein Cenedl. Ond er ei holl ogoniant fel cyfansoddwr, y mae dau beth yn sicr. Ef yn ddiau yw un o'r athrawon cerdd mwyaf a fu gennym. Ceir ei ddelw ar lu o'n cyfansoddwyr ieuainc heddiw, a dangosodd ddiddordeb mawr yng nghaniadaeth y cysegr. Y mae'r ddau enwad, y Methodistiaid Calfinaidd, ar Wesleaid, dan ddyled drom iddo am ei lafur gyda'i Llyfr Tonau. Eto, rhaid cofio mai gwaith wrth fodd ei galon oedd y gwaith hwn i David Evans. Bu farw yn 1948 yn 74 oed.

DR. THOMAS HOPKIN EVANS.

Cefnder, a disgybl i David Evans oedd Hopkin Evans. Yn Resolven y ganwyd yntau yn 1879, ac yno hefyd y gorwedd ei weddillion. Bu farw ar ei daith bleserus o arwain cymanfaoedd canu yn 1940. Gellir yn hawdd rhestru Dr. Hopkin Evans fel arweinydd a chyfansoddwr o'r radd flaenaf. Gallasai lenydda yn dda drwy ysgrifennu ar gerddoriaeth. Dawn pur brin fu hon gan ein cerddorion hyd yn ddiweddar. Efe ddilynodd Harry Evans fel arweinydd Undeb Corawl Cymreig Lerpwl yn 1919. Yn Eisteddfod Genedlaethol Aberpennar 1905, daeth i'r amlwg gyntaf fel cyfansoddwr, drwy ennill yno ar ei fadrigal "Ar doriad dydd." Bu am ddeng mlynedd (1909 - 1919) yn organydd ac arweinydd côr Castell Nedd. Yr oedd yn Mus. Bac. ac yn A.R.C.O. Enillodd drachefn yn Eisteddfod Genedlaethol Abertawe yn 1907 ar sonata i'r piano. Darnau i'r gerddorfa yw "A Brythonic Overture," a "A Cymric Suite," a "Three Preludes on Welsh Hymn Tunes," sef "Moab," "Abergele" a "Tany-marian." Hoffai y math yma o gyfansoddi. Gwelir hynny yn amlwg yn ei ddescantau. Y mae ei ddwy ddescant ar " Joana " a "Blaencefn" yn boblogaidd iawn. Ei weithiau mwyaf yw "Kynon" a'r "Salm i'r Ddaear." Fel arweinydd cymanfaoedd canu daeth bron yn fwy poblogaidd na neb. Yr oedd yn gwmnïwr campus, yn barod bob amser a'i storïau. Diddan oedd teithio gydag ef. Glynai yn dynn wrth ddyn os y byddai am fynd i rywle ac heb fod yn rhy siŵr o'r ffordd. Fel oedd y Berwyn i Gynddelw, 'roedd Morgannwg i Hopkin Evans. Mynnodd orwedd ynddi.

DR. DAVID VAUGHAN THOMAS.

Yn fy meddiant y mae llythyr oddi wrtho wedi ei ddyddio Medi 9ed, 1911. Arwyddai ei enw o dano "David Thomas" ac hyd ddechrau 1912, fel David Thomas yr adweinid ef. Yn Eisteddfod Genedlaethol Caerfyrddin, 1911, urddwyd ef yn aelod o'r Orsedd gyda'r enw "Pencerdd Vaughan," ac yn fuan wedi hynny dechreuodd y " Vaughan " ymddangos yn ei enw. Ganed David Vaughan Thomas yn Ystalyfera yn 1873. Dwy filltir o Ystalyfera, y mae Ystradgynlais, ac yno y ganed a magwyd J. T. Rees, Mus. Bac. a'r Dr. Dan Protheroe. Ond y mae Ystradgynlais yn Sir Frycheiniog, ac felly ni ellir sôn am y ddau olaf ar hyn o bryd. Yr un peth gellir ddweud am y cerddor ifanc addawol, Elfed Morgan o Gwmtwrch, y mae y rhan fwyaf o Gwmtwrch yn Sir Frycheiniog. Eto i gyd, tri pentref nesaf at eu gilydd yw Ystalyfera, Ystradgynlais a Chwmtwrch ym mhen uchaf Cwm Tawe. Pentrefi sydd wedi cadw'r traddodiad cerddorol yn bur dda hyd heddiw. Rhodd Ystalyfera i Gymru gyfan oedd Vaughan Thomas. Ond ymddengys yn ôl rhai, nad oedd y rhodd yn gymeradwy gan y derbyniwr. Y mae llawer o ddadleu ac ysgrifennu wedi bod ynglŷn ag ymddygiad y byd cerddorol yng Nghymru tuag at y Dr. Vaughan Thomas, ond tueddai'r diweddar Dr. J. Lloyd Williams roddi cymaint o fai ar Vaughan Thomas ag a roddai ar yr ochr arall, onid erbyn heddiw mae'r peth wedi ei ddatrus yn glir yn ei gofiant gan Emrys Cleaver. Yn fuan wedi ei eni, symudodd ei rieni i Bontarddulais. Bu yntau yn cael rhai gwersi gan Joseph Parry cyn mynd i Goleg Llanymddyfri. Yn 1908, symudodd i Abertawe ac yno y bu byw weddill ei oes. Heblaw bod yn gerddor o'r radd flaenaf, 'roedd Vaughan Thomas yn ysgolor gwych, yn caru barddoniaeth a llenyddiaeth. Yn naturiol felly oedd iddo dorri tir newydd drwy gyfansoddi cerddoriaeth ar yr englyn a'r cywydd. Bu yn Rhydychen ac enillodd y B.A., Mus. Bac., ac yn ddiweddarach yr M.A. a'r Mus. Doc. Ei dri gwaith mwyaf wedi eu cyhoeddi yw ei weithiau corawl. Gwaith i unawdwyr côr a cherddorfa yw "Lyn-y-Fan." Perfformiwyd hwn yn Eisteddfodau Genedlaethol Abertawe, 1907, a Wrecsam yn 1912. "A Song for St. Cecilia's Day." Perfformiwyd

hwn gyntaf yn y Queen's Hall, Llundain yn 1909, a'r " Bard."
Cyfansoddodd hefyd 18 o ranganau, 5 o anthemau yn cynnwys
Motet, dau ddarn i'r piano, 20 o ganeuon (heblaw y "Saith o
Ganeuon") a " Ten Welsh Folk Songs."   Y mae yr uchod wedi
eu cyhoeddi, a bron pob cerddor bellach yn gyfarwydd â nhw.
Y mae'n aros ei gyfansoddiadau mewn llawysgrif.   Gresyn
na chawsant olau dydd. Ymysg y nifer hyn, ceir 13 o ddarnau i
offerynnau, 4 rhangan, 15 o ganeuon, a 24 o donau cynulleidfaol.
Cyfansoddodd y rhan fwyaf o'r tonau hyn tua'r Sulgwyn, 1932.
Tebyg mai y rhain yw ei gyfansoddiadau olaf. Dylid yn sicr eu
cyhoeddi. Yn ystod blynyddoedd olaf ei oes, yr oedd yn arholwr
dan y Trinity College of Music.   Ar ei daith fel arholwr dros
hwn y bu farw yn Johannesburg ym Mis Medi, 1934.   Daethpwyd
a'i lwch adref i Gymru i fynwent y Mwmbwls, Abertawe.

DAVID JOHN THOMAS.

Cerddor arall anodd ei nabod wrth yr enw yma. Rhoddodd
yntau yn ei dro, enw arall yn lle John, sef "AFAN."   Ganed D.
Afan Thomas yng Nghwmafan yn 1881. Bu farw ym Mai 1928.
Cyhoeddodd dau ddetholiad o'i donau cynulleidfaol.   Ceir llawer
o'i ganeuon heb eu cyhoeddi, ynghyd a chantata a'r Libreto wedi
ei ysgrifennu gan Watcyn Wyn. 'Roedd Afan Thomas i'w gyd-
gerddorion, fel Eifionydd i'w gyd-feirdd. Anodd dirnad ei law-
ysgrif.   Ond yn ffodus, mae ei frawd, Gwilym Thomas, yn poeni
mewn llafur cariad i geisio cael trefn ar y pentwr llawysgrifau.
Ymysg y rhain ceir nifer dda o weithiau offerynnol. Dichon y
cawn weld mwy o weithiau Afan Thomas wedi i'w frawd orffen ei
orchwyl. Bu Afan yn ddisgybl i Dr. Parry. Diddorol yw sylwi
ar y gynghanedd yn nhonau Afan Thomas.   Y mae rhywbeth
newydd ynddynt, rhyw ffresni byw. Ond rhaid cael lleisiau wedi
eu disgyblu'n dda i ganu rhai o'i donau fel " Spes " a " Tommy."
Ni ellir canu rheiny mewn gwasanaeth bore Sul fel y mae pethau
heddiw. Teimlir ei briod-ddull (idiom) yn ddieithr. Dyna beth
newydd, ac arbenigrwydd ynddo . O ddilyn ei weithiau yn fanwl,
gwelir fod idiom Coleridge-Taylor yn helaeth ganddo.

D. TAWE JONES.

Ganed ef ym Mhontardawe yn 1885. Cyfansoddodd amryw
o bethau cymeradwy. Bu yn organydd Heol Dŵr ac Heol Awst,
Caerfyrddin.   Ceir ganddo dôn ar y geiriau " Bydd myrdd o
ryfeddodau," a bu gryn "fynd" arni wedi'r Rhyfel 1914-18 dan
yr enw " Mont Kenmel."   Ceir anthem o'i eiddo " Dyw sydd
Noddfa " yn Llyfr Tonau y Methodistiaid Calfinaidd a Wesleaidd.
Un arall o raddedigion (Mus. Bac.) gorllewin y Sir.   Aeth i Lun-
dain i fyw cyn diwedd ei oes.   Bu farw yn 1948.

MATTHEW W. DAVIES, B.A., Mus. Bac., o Gastell Nedd, a
aned yr un flwyddyn a Tawe Jones.   Meddyliwyd rhyw ugain

mlynedd yn ôl, fod Matthew Davies am dorri maes newydd mewn cyfansoddi tonau cynulleidfaol. Daeth rhai i boblogrwydd mawr fel " Godre'r Coed " ac amryw eraill. Newidiodd ei gynllun, a chyfansoddodd rai tonau fel " Bethlehem Green." Ond colled enfawr i'w Genedl oedd ei farw cynnar.

VERA HENRY.

Ganed hi yn 1898, ac ymhen amser, graddiodd hithau yn Mus. Bac. Ym mro Port Talbot ac Aberafan ceir ei dylanwad hi. Ceir rhai o'i gweithiau sef tôn ac anthem yn Llyfr Tonau y ddau enwad y Methodistiaid.

DR. D. E. PARRY WILLIAMS

Wedi ei fagu yn yr un ardal a Dr. David Evans a Dr. T. Hopkin Evans. Mab ydyw i gyn ysgol feistr Glyn-Nedd. Ganed ef yn 1900. Cyfansoddodd "Chwech o Garolau." Perfformiwyd ei waith i gerddorfa "Pwyll a Rhiannon" yn Eisteddfod Genedlaethol Aberpennar 1946. Y mae ganddo dair o donau gwych ac anthem " Yr Arglwydd yw fy Nghraig " yn Llyfr Tonau y Methodistiaid Calfinaidd a Wesleaid. Dwedwn am dano, fel am Grace Williams a Mansel Thomas o ddwyrain y Sir, ein bod yn disgwyl pethau mawr ganddo yn y dyfodol.

J. MORGAN NICHOLAS. 1895-1963. Brodor o ardal Aberafan oedd ef. Bu yn ddygn iawn gyda'r gerddorfa a'r ieuenctid am amser maith. Ef oedd organydd capel y M.C. Pembroke Terrace, Caerdydd. Cyfansoddodd lawer, ac un o'i donau mwyaf poblogaidd yw "Brynmyrddin."

JAMES WILLIAMS. Un o Ben-y-bont-ar-Ogwr yw Mr. Williams. Gyda'r rhai ifanc mae ei galon ef. Yntau wedi graddio mewn cerddoriaeth. Ar y B.B.C. ym Mangor mae ef yn awr, a chofir yn dda am ei raglenni ar hanes y Meistri i'r bobl ifanc. Ceir canmoliaeth mawr iddo o bob rhan o'r byd am y rhaglen, "With heart and voice." Arwain corau yw ei ddiddordeb mawr.

Gan fod Morgannwg wedi codi y fath dyrfa o gerddorion, gwreiddiodd eu dylanwadau yn gadarn ynddi. O gadernid y gwreiddiau hynny, daeth ei draddodiad cerddorol.   *

TRADDODIAD CERDDOROL Y SIR

Y Traddodiad Cynnar

YN ôl Mr. Idris Lewis yn ei lyfr "Cerddoriaeth yng Nghymru," "yn hwyr y dechreuodd y Cymry gyfansoddi, ac na chafwyd dim mwy uchelgeisiol na thôn seml cyn canol y ganrif ddiwethaf" (td. 21). Yn ei anerchiad i Gymrodorion Abertawe yn 1911, dwedodd Dr. Vaughan Thomas " Na fu cyn oddeutu'r flwyddyn 1850, un cais o ddifrif yng Nghymru o gwbl at gyfansoddi cerddoriaeth wych." Efallai bod y ddau ddyfyniad yna yn hollol gywir, ond cyfaddefir fod y diweddar Ddr. J. Lloyd Williams wedi gwneud ymchwil bur lwyr i hanes cynnar ein cerddoriaeth. Dwedodd ef yn ei lyfr "Y Tri Thelynor" fod cerddoriaeth mewn bri yn yr Oesoedd Canol, ond ni chadwyd y traddodiad fel y traddodiad barddnol. Yr oedd safon cerddoriaeth Cymru ar ei uchelfannau rhwng 1450 a 1500, ac awgrymai, "A'i tybed dyma'r cyfnod y perthyn y nodiant dieithr iddo?" Nodiant a gopïwyd yn ddiweddarach yn llawysgrif Penllyn. Os felly, awgryma fiwsig o radd uchel iawn. Ar derfyn y cyfnod gwych yma, ceir y Cymro cyntaf yn Mus. Doc. (Oxon), sef Sion Gwynedd yn 1550. O'r flwyddyn honno, dirywio yn araf wnaeth ein cerddoriaeth nes taro'r gwaelod rhwng 1650 a 1750. Yng nghyfnod y Tuduriaid, gwywodd ein cerddoriaeth a'n barddoniaeth, ond llwyddodd y beirdd i gadw eu traddodiad.

Yn 1621, cyhoeddodd Edmwnd Prys ei Salmau Cân yn y "Llyfr Gweddi Cyffredin." Dwsin oedd nifer yr alawon hyn, i ganu'r Salmau arnynt. Ond nid alawon ein Cenedl ni mohonynt. Dim ond dwy sydd yn adnabyddus gennym ni heddiw, sef y dôn ar Salm 113. Adnabyddir fel y dôn "Nashville" a'r llall ar Salm 100. Yr "Hen Ganfed" y gelwir honno. Efallai mai dyna pam y gelwir hi wrth yr enw yna am mai ar y Ganfed Salm y canwyd hi gyntaf yng Nghymru beth bynnag. Ond o'r cyfnod yma hyd 1742, sef 120 o flynyddoedd, ni chafwyd yng Ngyhmru yr un cyfansoddiad cerddorol, nac un casgliad o alawon, na thôn gynulleidfaol. Ond ar ddiwedd y flwyddyn yma (1742), daeth "tro ar fyd." Cyhoeddodd dau delynor, sef John Parry, ac Ifan William, gasgliad o alawon Cymreig. Dyna'r flwyddyn y perfformiwyd y "Meseia" am y tro cyntaf yn Nulyn. Oddi yma ymlaen, datblygwyd canu'r alawon a'r delyn. Daeth canu'r delyn, ac yn arbennig canu'r alawon, yn boblogaidd, ac fe'i canwyd gan y Werin pan na fyddai telyn wrth law. Rhwng y llinellau byddent yn canu Tr-la-la-la la, neu Ting-aling-a-ling-a-ling, neu Ffal-di-ral-di-ral-di-ral. Dyfais oedd hyn ganddynt i ddynwared y delyn pan na ddefnyddid lleisiau.

Y telynorion gyda'u alawon Gwerin, oedd sylfaenwyr y Traddodiad cynnar, a chwareuodd Morgannwg ran bwysig yn ei ddatblygiad. Aeth tua thri-ugain mlynedd heibio cyn i alawon a gyhoeddwyd yn 1742 gael eu harfer gan y telynorion eraill, oherwydd diffyg cyfleusterau argraffu a phrinder a phellter y telynorion o'u gwlad. ('Roedd y rhan fwyaf ohonynt yn byw yn Llundain). Ond oddi wrth y werin bobl y codwyd llu mawr o'r alawon, a daeth " Casglwyr yr Alawon " yn agos at y werin drwy hynny. Cyfeiriwyd eisoes at delynorion y cyfnod a'u gweithiau. Yr oeddynt oll yn bwysig gyda'r Traddodiad hwn. Dilynent ei gilydd yn reddfol rhywsut. Dyna Thomas Evans, Newton Cottage, yn marw yn 1823, a John Henry Evans, Tonypandy, yn cael ei eni yn 1822. Dau delynor tra phwysig yn eu dydd. Llewelyn Alaw, Aberdâr, John Bryant (Alawydd Glantaf), ac Ap Tomos oedd ychydig yn ddiweddarach ond yn cynrychioli'r un Traddodiad. Soniwyd eisoes am waith Pencerdd Gwalia, a Maria Jane Williams, Aberpergwm. Un peth oedd yn bwysig ganddynt oll, sef dod i gyffyrddiad a'r werin drwy gasglu hen alawon, a hwythau yn eu tro, yn canu'r delyn iddynt fel cydnabyddiaeth am hynny. Deuant hefyd i gysylltiad a bonedd drwy gyngerdd neu Noson Lawen yn eu plasdai, fel Plas Aberpergwm, Castell Cyfarthfa, a Chastell Dunraven, a'r Dyffryn, Aberpennar.

Un arall a fu'n amlwg gyda'r Traddodiad hwn oedd John L. Thomas (Ieuan Ddu). Un o Sir Gaerfyrddin oedd ef, ond daeth i Ferthyr yn ifanc. Ganed ef yn yr un flwyddyn a Maria Jane Williams (1795). Gwnaeth amryw o bethau gwych ym myd cerdd a barddoniaeth, fel copïo'r cytganau o'r " Meseia " i bob aelod o'i gôr. Côr o tua deugain mewn rhif, dan ei arweiniad ef, berfformiodd y "Meseia" gyntaf ym Merthyr, os nad ym Morgannwg. Ond gyda'r Traddodiad cynnar yma bu ei waith mwyaf. Cafodd wobr yn 1838 am draethawd ar " Gwahanol Beroriaethau Cymru ac Iwerddon." Gwobr arall yn 1840 am draethawd ar " Hanes Telyn Gwent a Morgannwg." Enghraifft arall o gasglu alawon drwy glywed rhai yn eu canu oedd fod Ieuan Ddu wedi gwneud yr un peth a Miss Williams, Aberpergwm, gyda'r eithriad nad oedd ef wedi teithio'r wlad i wneud hynny. Gwrando ar ei fam yn eu canu oedd ef. Y canlyniad fu iddo gyhoeddi casgliad o alawon Cymreig dan yr enw "The Cambrian Minstrel" yn 1845. Cynnwys 147 o ddarnau — 104 ohonynt yn alawon Cymreig. O'r rhain, ceir tua'i hanner yn alawon Dyfed na chyhoeddwyd cyn hyn. Dwedir mai ef a ysgrifennodd y bennod ar " Gerddoriaeth " i Thomas Stephen yn ei " Literature of the Kymry."

Tueddiad rhai o'n llenorion heddiw, yw mynd yn ôl at draddodiad yr Oesoedd Canol, hynny yw, y cyfnod pan oedd ein llenyddiaeth buraf. Tueddiad rhai o'n cerddorion ar y llaw arall yw gwneud rhywbeth yn debyg, sef gadael y Traddodiad diweddar a mynd yn ôl at y Traddodiad Cynnar. Rhaid i gerddoriaeth dda meddent hwy, fod yn gerddoriaeth Genedlaethol. Felly, rhaid mynd yn ôl at Alawon Gwerin. Gwelir hyn yn aml pan y ceir ein cerddorion heddiw yn ymddifyrru drwy drefnu hen alawon i leisiau a cherddorfa. Y mae gan y diweddar Ddr. Lloyd Williams ran bwysig ac amlwg yn y mudiad hwn. Yn 1908, sefydlwyd Cymdeithas Alawon Gwerin. Rhwng y Gymdeithas hon, a thueddiadau ein cerddorion ieuainc, hwyrach yr eir yn araf yn ôl at y Traddodiad Cynnar a'i ddatblygu.

Y Chwyldro Diwydiannol

NATURIOL yw gofyn beth a wnelo Chwildro Diwydiannol a thraddodiad cerddorol? Dim yn uniongyrchol efallai, ond sicr yw mai y Chwildro hwn yw cefndir y Traddodiad Newydd. Y newid mawr yn y bywyd diwydiannol tua chanol y ddeunawfed ganrif, a achosodd yr ymgasgliad o'r gweithwyr i gyd-weithio, ac ymladd am eu bara beunyddiol, ac yma oedd crud yr Eisteddfod a'r Gymanfa Ganu. Yn Nwyrain y Sir 'roedd sŵn ar led tua chanol y ganrif, fod pethau yn newid. Yr oedd rhai ardaloedd amaethyddol ar fedr eu troi yn weithiau haearn, ffatrioedd a sincio pyllau glo. Rhai o'r awgrymiadau cynnar oedd adeiladu hen bont Pontypridd yn 1755. Ail beth oedd lledu a gwella'r ffordd o Bontypridd i Gaerdydd, a thrwsio llawer ar y ffordd o Bontypridd i Ferthyr. Y cyfrwng i gludo cynnyrch y gweithfeydd oedd y gamlas. Cychwynwyd y gwaith ar Gamlas Morgannwg, sy'n cysylltu Merthyr a Chaerdydd, yn 1791. Yn 1811, ychwanegwyd ato drwy wneud camlas o Aberdar i Abercynon. Yn 1791 hefyd cychwynwyd ar Gamlas Cwm Nedd o Lansawel i Abernant, yn bedair milltir ar ddeg o hyd Yn 1822 agorwyd camlas wyth milltir o hyd o Aberdulais i Abertawe, sef y Tennant Canal. Yn 1798 gorffenwyd camlas o Ystradgynlais i Abertawe. Yr oedd pethau yn symud yn gyflym iawn.

Cychwynwyd gwaith glo cyntaf yn ardal Pontypridd gan John Calvert o Kettlewell, Swydd Efrog. Sinciodd bwll ymhen uchaf y dref yng Nghwm Gelliwion, ac un arall yn ddiweddarach ym mhen arall i'r dref. Yn y Darran-ddu, agorwyd gwaith glo arall gan David Thomas, brawd Islwyn y bardd. Yr oedd ef yn un o'r ychydig Gymry a fu'n arloeswyr ym myd y diwydiannau.

Sais, ac Undodwr, ddaeth i fyw i Ben-y-Bont-ar-Ogwr oedd Walter Coffin. Ef, a William Davies, gychwynodd waith Glo-ager yn y Rhondda. Erbyn hyn 'roedd y Rhondda yn "agor." Tyrai'r bobl yno o'r siroedd amaethyddol. Ni ddaeth y llanw Seisnegaidd eto. 'Roedd yr ardal o Dinas i Benygraig, ac i lawr i'r Porth yn cynhyddu yn ei phoblogaeth. Gwnaed heolydd tramiau i gludo'r glo i Bontypridd (y lle agosaf i'r Gamlas), ac oddi yno i Gaerdydd er mwyn ei allforio. Erbyn diwedd y ganrif, 'roedd Merthyr y dref fwyaf poblog a'r un bwysicaf yng Nghymru, a'i phoblogaeth yn fwy na Chaerdydd, Casnewydd, ac Abertawe gyda'i gilydd. Hyd yn hyn, y peth mwyaf pwysig am Ferthyr oedd y traddodiad am Tydfil, merch Brychan, Tywysog Garth Fadryn, Brycheiniog, a laddwyd gan y Pictiaid yn y flwyddyn 420 A.D. Dihangodd ei brawd Rhun, ond daliwyd ef ar bont ychydig filltiroedd lawr y dyffryn. Gelwid y lle hwnnw yn Pont-y-Rhun. Enw y byd diwydiannol arno yw Troed-y-Rhiw.

"Hen stori" oedd hyn wedi i bethau newid, a'r boblogaeth yn cynhyddu.

Daeth peth o ffrwyth y Chwyldro i amlygu ei hun ym Merthyr yn 1760, pan agorwyd ffwrnesi mawrion yn Nowlais, ac yn 1765, yng Nghyfarthfa. Tua 1791 daeth y Crawshays gyda'i diddordebau i'r ardal. Bu eu disgynyddion yno am flynyddoedd lawer, sef William I a II, Francis, Henry a Robert. Yn ddiweddarach daeth eu perthynasau yno, sef y Baileys, ac wedi hynny y Guests. Bu helyntion gyda'r Crawshays, ac yn ffyrnig ar adegau. Dyma gyfnod Lewsyn yr Heliwr, a Dic Penderyn. Yr oedd Thomas Davies (Trithyd), Robert Davies (Jeduthyn), Thomas Rees (Merthyryn), D. T. Williams (Tydfylyn), Pencerdd Gwalia, a Rosser Beynon yn llanciau rhwng un a'r bymtheg, a phump a'r hugain oed y dwthwn hwn.

Ychydig yn ddiweddarach effeithiodd y datblygiad diwydiannol yng Ngorllewin y Sir. Un o hen drefi Ffiwdalaidd yma yw Aberafan. Cafodd hi ei Siarter yn 1158 gan Leishon Ap Morgan. Ond ymhen yn agos i saith can mlynedd wedi hyn, sef 1826, bu amryw o gyfnewidiadau pwysig. Gwerthodd y Brodyr Morgans eu gwaith haearn yng Nghaerfyrddin i ffyrm o Saeson, Reynolds and Smith. Y peth cyntaf wnaed oedd symud y gweithfeydd, yr offer, y ffwrnesi a'r gweithwyr o Gaerfyrddin i Aberafan. Bu cryn gynnwrf fel y gellid disgwyl, ond maes arall yw hwnnw. Ond gwelir er hynny mai nid peth newydd yw newid gweithfeydd a symud gweithwyr o un lle i'r llall.

Enw hanner Cymraeg a hanner Saesneg yw Abermouth. Yma, 'roedd rhyw fath o borthladdoedd bychain ers blynyddoedd, a'r porthladdoedd hyn oedd cyfrwng allforio nwyddau o Aberafan i Llansawel. Daeth Mr. Talbot, Parc Margam, a'i ddiddordebau yn y diwydiannau newydd, ac yn y dociau newydd. Drwy ddeddf gwlad yn 1835, newidiwyd enw Abermouth yn "Port Talbot."

Yn Llansawel (neu Llansawyl), neu fel adweinir y lle heddiw, Britton Ferry, gwnaed haearn bwrw (cast iron) tua chanol y ganrif. Ond ar ddiwedd y ganrif gwelyd fod dur ac alcam yn brysur cymryd ei le. Rhwng 1713 a 1727, toddwyd copr yng Nghastell Nedd. Bu'r ardal rhwng Castell Nedd ac Abertawe yn brysur iawn yn y cyfnod yma. Dechreuwyd " Gweithiau Toddi" yn Abertawe yn 1717, ac yn Llangyfelach yn 1720. Yr oedd gwaith y " White Rock " ar ei uchelfannau yn 1727. Yn 1755, daeth Chauncey Townsend, a sefydlodd weithiau'r " Middle Bank." Glynnodd Castell Nedd yn dynn wrth ei diwydiannau. Agorodd Robert Place waith arall yno yn 1756, ac yn 1780 prynwyd y " Neath Abbey Works " gan y Cheadle Copper Co.

Nid yw'r gweithfeydd yng Nghwm Tawe, sef glo, alcam, na dur mor hen a'r rhai yn Nwyrain Morgannwg. Tua 1824 y gwelyd gwerth glo carreg fel elfen ddefnyddiol yn y ffwrneisiau. Yn 1839 'roedd amryw o ffwrneisiau yn y Gorllewin, megis Glandwr, Yniscedwyn, Ystalyfera, Castell Nedd, Cwm Nedd a Chwmafan. Yr oedd trafnidiaeth yn weddol rwydd yng Nghwmtawe oherwydd, fel y nodwyd eisoes, 'roedd y Gamlas yn rhedeg drwy y Cwm er 1798. Yn 1838, agorodd John Parsons waith glo y "Primrose" ym Mhontardawe, a daeth William Gilbertson a'i weithiau dur ac alcam yno. Bu Daniel Walters, tad y Parch. D. D. Walters, (Gwallter Ddu) yn oruchwyliwr yng Ngwaith y Gilbertsons. Yr un adeg, agorwyd nifer o lefelau glo bychain yng Nghlydach-ar-Dawe.

Dwedir mai yn Nhreforus yn 1779 y defnyddiwyd pwmp ager gyntaf yng Nghymru. Ar wahân i weithiau dur ac alcam, daeth nifer fawr o ddiwydiannau mân megis gwaith lliw (dye), a gwaith fferylliaeth (Chemical). Copr oedd cychwyniad masnach barhaol i drigolion Treforus. Agorwyd y gwaith copr cyntaf yno yn 1768 gan Syr John Morris, Sgeti. Ar ôl ei enw ef y gelwir y lle yn Dreforus. Ar ddiwedd y ganrif, a dechrau'r bedwaredd ganrif a'r bymtheg, 'roedd y Gorllewin yn brysur cael ei "draed dano" ym myd diwydiannau. Plant oedd arloeswyr cerddorol yr ardal bryd hyn fel Dr. Evan Davies, Abertawe, William Griffiths (Ivander), a John Davies, Godre'r Parc, ac eraill.

Naturiol yw sylweddoli pan welir y fath newid cyflym ym mywyd a dull o fyw ein cyd genedl yn y cyfnod hwn, bod ffurf o gymdeithas yn newid. Rhifai y gymdeithas yn fwy na chynt o lawer. Aeth arweinwyr crefydd ati o ddifri i gasglu arian er mwyn codi capeli yn ardaloedd y " byd newydd." Daeth y capel, nid yn unig yn le i addoli Duw ynddo, ond yn fangre cymdeithasol. Ffurfiwyd corau bychain a'r " Penny Readings," hefyd ddosbarthiadau cerdd, a'r Tonic Sol-ffa. Y Chwildro Diwydiannol orfododd pobl cefn gwlad i symud i'r gweithfeydd, a byw yn dorfeydd gyda'i gilydd, ac yn sicr ddigon, y Chwildro hwn yw cefndir y traddodiad cerddorol newydd, neu y traddodiad diweddar. Y mae hyn yn ein harwain yn naturiol at yr Eisteddfod.

Y Traddodiad Diweddar
Yr Eisteddfod a'r Corau

GWYR pawb bron bellach, fod yr Eisteddfod yn hen. Daw o'r hen draddodiad cynnar yn yr Oesoedd Canol. Dafydd Ab Edmwnd, un o feirdd y cyfnod hwn yn Eisteddfod Caerfyrddin, ddaeth a rheolau Cerdd Dafod, sef y pedwar mesur a'r hugain. Ond Eisteddfod y Llys oedd hi. Canu clod y Tywysogion oedd y beirdd, ac wedi oes y Tywysogion, canu clod yr Uchelwyr. Yr oedd telyn yn y Llys, ond ar wahân i hyn, nid oedd a wnelo yr Eisteddfod ddim â cherddoriaeth. Wedi cwymp Llewelyn Ein Llyw Olaf, darfyddodd canu clod y Tywysogion, ac aeth llu o'r beirdd i gerdded ar hyd a lled y wlad i ganu eu cerddi. Gelwid hwy y " Gler." Ond wedi uno Cymru â Lloegr yn 1536, dirywio wnaeth yr Eisteddfod yn araf.

Tua diwedd yr ail ganrif a'r bymtheg, a dechrau y ddeunawfed, ceid math arall o Eisteddfod. Yr oedd hon o ran, a'i ffurf yr un peth a'r hen Eisteddfod. Ceisid codi yr hen draddodiad. Eisteddfod y beirdd a'r llenorion fel y llall. Yn ddiweddarach, dycpwyd y delyn i mewn a chanu penillion ac alawon Gwerin. Dyna oedd yr unig gerddoriaeth oedd i'w gael yn Eisteddfod yr ail gyfnod yma. Hawdd oedd canu penillion, am fod digonedd i'w gael. Cyrhaeddodd y rhain y pinacl o ran rhif ac amrywiaeth yn amser Ficer Prichard. Ond prin iawn oedd yr Alawon. Y dafarn oedd cylchfan pobl y pentrefi. Ynddi y cynhelid yr Eisteddfod, hynny yw, Eisteddfod y bardd a'r llenor. Pan dorodd y Diwygiad Methodistaidd allan, naturiol oedd i'r diwygwyr gondemnio'r Eisteddfod oherwydd mangre cyfarfod. Cariodd y Methodistiaid yr ysbryd gwrth-Eisteddfod hwn am dros ganrif. Yr ysbryd hwn oedd gan Dr. Lewis Edwards wrth gynghori Eben Fardd i beidio mynd i ryw Eisteddfod arbennig. Ceir croniclau o'r Eisteddfodau hyn mewn llawer o drefi a phentrefi Morgannwg. Un o'r enwocaf ohonynt oedd Eisteddfod y Beirdd, neu "Clic y Bont" fel y'i gelwir yn Llanofer Arms, Pontypridd.

Wedi'r Chwildro Diwydiannol, daeth chwildro i fyd yr Eisteddfod. Daeth chwildro crefyddol yn Niwygiad '59. Y capel bellach oedd y man cyfarfod, ac nid y dafarn. Codwyd corau bychain, rhywbeth rhwng ugain a deugain mewn rhif, ac yn fynych enwyd y côr ar ôl y capel, fel Côr Salem, neu Gôr y Tabernacl. Pan ddaeth y Ganig, gelwid amryw o gorau bychain yn "Glee Societies," megis "Rhondda Glee Society."

O tua 1860 ymlaen daeth bri Eisteddfod fel yr adwaenir hi heddiw, er i rai gael eu cynnal ychydig flynyddoedd cyn 1860. Yma y gwnaeth Sir Forgannwg ei rhan i ddod a cherddoriaeth i mewn i'r Eisteddfod. Mewn Eisteddfod ym Merthyr yn 1825, rhoddwyd gwobr am ddatgeiniad gorau. Dyma'r tro cyntaf, yn ôl pob hanes, i unawd fod yn destun gwobr mewn Eisteddfod. Yn Eisteddfod Caerdydd yn 1834, rhoddwyd gwobrau am gyfansoddi cerddoriaeth. Peth newydd hollol mewn Eisteddfod oedd hwn. Amrywiadau i biano ar yr alaw "Llwyn Onn" oedd un testun, ac enillwyd y wobr gan fachgen pymtheg oed, sef Brinley Richards o Gaerfyrddin. Daeth ef fel y gwyddis yn un o gyfansoddwyr gorau ei gyfnod.

Fel y crybwyllwyd eisoes, o 1860 ymlaen aeth bri ar yr "Eisteddfod Newydd." O'r flwyddyn honno, hyd tua 1865 i 1870, bu'r ganig yn boblogaidd dros ben. Ceid amryw o gorau bychain yn ardaloedd y diwydiannau newydd, allai ddysgu a chystadlu ar bethau fel hyn. Daeth amryw o'r canigion hyn yn boblogaidd fel "Yr Haf," "Y Gwlithyn," a'r "Wawr," ac amryw eraill. Ceid hefyd nifer dda o gyfansoddwyr y ganig ym Morgannwg y cyfnod yma. Tebyg mai y ddau fwyaf ohonynt oedd Alaw Ddu, a Dr. Joseph Parry. O 1859 hyd 1861, ceid canigion mewn Eisteddfodau yn Aberdar. Yr oedd mudiad i hyrwyddo Dirwest yn codi ei ben yn gryf rhwng 1850 a 1865, a thestunau dirwestol oedd amryw o'r eitemau mewn Eisteddfod. Rhai felly oedd testunau'r ganig yn Aberdar yn yr Eisteddfod a nodwyd.

Ond er fod dirwestwyr selog yn gweithio'n ddygn gyda'r Eisteddfod, ac er mai Festri'r capel ac nid y dafarn bellach oedd "Pabell y cyfarfod," ni fynnai'r Methodistiaid Calfinaidd, fel corff, ymgymeryd â'r Eisteddfod. Codasant hwy beth arall ar yr un llinellau, ond er mwyn cadw agwedd grefyddol arno, gelwid ef yn "Cyfarfod Cystadleuol." Mewn geiriau eraill, mudiad answyddogol yr Hen Gorff oedd y "Cyfarfod Cystadleuol" i wrthsefyll yr Eisteddfod. Y mae rhai Eisteddfodau heddiw mewn rhai siroedd yng Nghymru yn cael eu cynnal dan yr enw "Cyfarfod Cystadleuol," ond Eisteddfodau dan nawdd y Methodistiaid ydynt yn y gwraidd. Ond ym Morgannwg y maent oll bron wedi toddi i mewn i'r Eisteddfod.

Cwynir, hyd yn oed heddiw, bod Eisteddfodau yn cael eu cynnal i ddim ond er mwyn codi cronfa at rhywbeth neu gilydd. Nid yw hyn yn newydd. Ar ddechrau bri'r Eisteddfod, ceir fod un wedi cael ei chynnal yn Llantrisant yn 1865, yn Neuadd y Farchnad gyda'r pwrpas o gael arian i godi llyfrgell leol. Nid oes raid ychwanegu iddi fod yn llwyddiant mawr.

Wedi bri y ganig, ac fel y cynhydda poblogaeth Morgannwg, unwyd rhai corau â'i gilydd. Nid er mwyn cystadlu yn unig, ond er mwyn cael "Côr Mawr." Felly aeth "Côr Soar" neu "Gôr Pontmorlais" yn "Gôr Merthyr." Nid corau bychain Salem a Bethel bellach, ond corau Dowlais, Aberdar, Abertawe Cwm Tawe a Rhondda. Rhaid oedd wrth ddarnau trymach, ac mwy urddasol. Gwir ddywaid Mr. Idris Lewis, dyma gyfle Handel. Yr oedd dylanwad y meistr hwnnw eisoes ar ein cyfansoddwyr yr adeg honno, fel Tanymarian, Ieuan Gwyllt ac Ambrose Lloyd. Gyda dyfodiad y Sol-ffa, gwnaeth Ieuan Gwyllt eiriau Cymraeg ar gytganau Handel, fel " Haleliwia," " Teilwng yw yr Oen," ac amryw eraill, a'u cyhoeddi yn "Cerddor y Sol-ffa." Daeth Handel i mewn i Gymru fel bollt, ac y mae wedi aros yn ein plith hyd yn hyn. Dywedodd y diweddar Syr Henry Wood na ellir byth gael gwared Handel o Gymru, oherwydd yr un yw'r idiom. Ni ellir datgysylltu hoffter y Cymro o Handel am mai yr un yw ei briod-ddull ef a ninnau. Y mae llu eraill a barn wahanol ganddynt, ond mae gwreiddiau ei ddylanwad yma o hyd.

Buan wedi hyn aeth y corau ag enw eu trefi, neu'r ardal arnynt i berfformio'r Oratorios. Bu Rosser Beynon yn brysur gyda'r gwaith hwn. Perfformiodd ef a'i gôr " Ystorm Tiberias " fwy na neb arall yng Nghymru. Aeth côr Rosser Beynon gymaint o amgylch yr ardal i berfformio'r gwaith hwn, nes iddo ennill y llys-enw, " Côr y 'Storm." Uchafbwynt y corau hyn oedd pan gasglwyd amryw ohonynt at eu gilydd gan "Caradog" a'i alw yn " Gôr Mawr," a'u dwy fuddugoliaeth ym Mhalas Crystal.

Teg yw rhoddi cipdrem ar safon a chwaeth yr Eisteddfod Genedlaethol yn yr wyth degau, er enghraifft, Eisteddfod Genedlaethol Aberdar yn 1885. Am unawd ar y ffidil, y wobr oedd ffidil gwerth tair gini. Da pe ceid gwobrwyon cyffelyb heddiw. Ond arian oedd y gwobrau yn yr Eisteddfod hon ac eithro'r uchod. Prif Gorawl £150. Buddugol oedd Côr Dowlais (Dan Davies, A.C.). Am y Gerddorfa orau £12-12-0, buddugwyr (1) Treherbert, (2) Caerdydd. Unawd ar y ffliwt, tair gini, unawd ar y clarionet, tair gini, canu'r delyn, tair gini. Gwelir fod cerddoriaeth offerynnol yn cael lle amlwg yn yr Eisteddfod hon. Cyfansoddi pedwarawd llinynnol, ugain punt. Buddugol J. T. Rees, A.C. Cyfansoddi madrigal, wyth gini. Rhyfedd yr amrywiaeth yn y gwobrau. Tair gini yr un am unawdau i soprano, contralto, tenor, baritone a bas. Rhai o Forgannwg enillodd y cwbl ar yr unawdau. Soprano, Llinos Rhondda; Contralto, Lucy Clarke, Caerdydd; Tenor, Dan Beddoe, Llwynypia (daeth ef yn denorydd enwog yma ac yn America); Baritone a Bas, Gwilym Thomas, Porth. Gyda llaw, enillodd Gwilym Thomas yn Eisteddfod Genedlaethol Abertawe yn 1907. Curodd ugain o gystadleuwyr ac yntau yn 57 oed.

Ymysg y panel beirniaid o saith, yr oedd tri ohonynt o Forgannwg, sef Pencerdd Gwalia, Alaw Ddu a Griffith Rhys Jones (Caradog). Yn y cyngherddau, 'roedd saith o'r unawdwyr yn frodorion o'r Sir, Madam Williams-Penn, Pontypridd, Maggie Davies, Dowlais, Lucas Williams, Trefforest, Dan Price, Ben Davies, Eos Dar ac Eos Morlais. Nid yw yr Eisteddfod hon ond un enghraifft o lawer, yn arbennig yn y De, i ddangos y rhan bwysig a fu gan Sir Forgannwg yn natblygiad cerddoriaeth yr Eisteddfod. Yn ystod y pedair blynedd a deugain diwethaf yn hanes yr Eisteddfod Genedlaethol, daeth y gwobrau yng nghystadleuaeth y Prif Gorau ugain o weithiau i Forgannwg, a dwy a'r hugain o weithiau yng nghystadleuaeth y corau meibion.

Hyd heddiw, cedwir y traddodiad gorawl yn yr ardaloedd hyn. Bu corau cymysg o Ferthyr, o Ganol Rhondda a chôr meibion Pontypridd (Frank Evans) yn boblogaidd hyd yn ddiweddar. Côr Ystalyfera (W. D. Clee) a Chôr Meibion Pendyrus (Arthur Duggan), fuont am flynyddoedd yn llwyddiannus drwy'r wlad. Yn 1947 ceir y traddodiad Eisteddfodol a chorawl mor fyw yn y Sir ag y bu erioed. Ceir amryw gorau ym mhob pentref a thref. Y rhai enwocaf ohonynt ar hyn o bryd yw Côr Dowlais (D. T. Davies), Côr Pontarddulais (Haydn Thomas), Côr Caerdydd (E. Richards), ac ymhlith y corau meibion, Côr Treorci (J. H. Davies), Côr Treforus (Ifor Sims). Cofier hefyd am y gwaith dihafal wneir yn ystod y blynyddoedd diweddaf hyn gan Gôr Bwrdeisdref Abertawe, dan arweiniad Ivor Owen. Rhaid ymatal yma, rhag syrthio i wneud catalog, er mai gwaith difyr fyddai hynny.

Y Tonic Sol-ffa

ATGOFIR ni yn aml gan ddynion o fri, mai yr Ysgol Sul yw cefndir pob mudiad addysg yng Nghymru, o Goleg y Brifysgol i lawr i'r ysgol elfennol. Gwir fod yr Ysgol Sul wedi bod yn ffynhonnell pob math o wybodaeth yn y gorffennol. Hwyrach mai nid o honni hi y daeth cyfundrefn y Tonic Sol-ffa yng Nghymru, ond gellir dweud fod gan Ysgol Sul Lloegr ran bwysig yng nghefndir y mudiad hwn. Mewn cynhadledd yr Ysgol Sul a gynhaliwyd yn Hull yn 1841, awdurdodwyd John Curwen i gymryd canu o ddifrif gyda gwaith yr Ysgol Sul. Nid ef oedd y cyntaf i wneud arbrawf gyda'r Tonic Sol-ffa. Yr oedd Sarah Glover, o Norwich, eisoes yn gweithio'n galed a chyfundrefn a'i wreiddiau fel y Sol-ffa Y peth cyntaf wnaeth John Curwen wedi cynhadledd Hull oedd mynd i Norwich i drin y mater gyda Sarah Glover. Y canlyniad fu i John Curwen gyhoeddi "Small Letter Notation" yn yr un flwyddyn. Yn 1843, cyhoeddodd "Singing for Schools and Congregations," ac yn 1848 "Grammar of Vocal Music." 'Roedd y Modulator gan Sarah Glover ymhell cyn i un John Curwen ddod allan. Gelwid ef yn "The ladder of Tune." Yn 1850, cynhaliwyd cynhadledd o wŷr y "nodiant newydd," ac yn 1851, cychwynodd y "Tonic Sol-ffa Reporter" ei yrfa. O hynny ymlaen, aeth y gyfundrefn fel mellten drwy'r wlad. Cynhelid llu o gynadleddau, a darlithiau ar hyd y wlad, a chreu propaganda. Ymdrechwyd i wella'r nodiant wrth fynd ymlaen, a chynhaliwyd arholiadau a rhoddi tystysgrifau. Amlwg yw mai o Loegr y daeth y Sol-ffa, ond fel y cyfeiriwyd eisoes, cafodd John Ryland Harris grap ar y peth pan ysgrifennodd ei bennod ar "Sol-ffa" yn "Grisiau Gardd Arwest" yn 1823. Yr oedd hyn ddeunaw mlynedd cyn cynhadledd Hull. Y gwir yw fod arbrofion yn y Sol-ffa yn hen iawn. Mae mor hen a'r ddegfed ganrif, a chychwynodd ei yrfa yn yr Eidal. Mynach o'r enw Guido D'Arezzo a aned yn 990 O.C. oedd tad y Sol-ffa. Ganed ef yn Arezzo. Mae "Môr o Gân" yn Arezzo heddiw. Bu côr oddi yno yn Eisteddfod Llangollen, a bu W. S. Gwyn Williams yno yn beirniadu ac arwain y côr enwog yno. Gwelodd Guido anhawster yr anllythrennog i ddeall y termau Groegaidd yr Hen Nodiant — enwau fel Breve — Semibreve — Crochet — Quaver, etc. Mwy na hynny, anodd i'r anghyfarwydd oedd lleoli'r nodau. Nid oedd llinellau rhwng y nodau, a phan ddaeth y Stave, dim ond y llinellau a ddefnyddid. Ni ddefnyddiwyd y gwacter (space) rhwng y llinellau. Ffordd Guido oedd rhoi lliwiau arnynt. Melyn i G, coch i F, a gwyrdd i B,—y gweddill i gyd yn ddu. Efe ddaeth a'r "Stave" yn sicr — a dwed rhai mai ef hefyd ddaeth a'r "Clef"—ond nid oes sicrwydd am hyn. Yr oedd am i bawb allu darllen cerddoriaeth — ond anodd oedd hi i rai heb addysg elfennol. Meddyliodd am gynllun allan o weddi bwysig y cyfnod gan y Pabyddion.   Yn Lladin wrth gwrs.

UTGUEANT LAXIS
RESONANE FIBRIS.
MIRA GESTORUM
FAMUL TUORUM.
SOLVE POLLUTE.
LABIL   NEANTUM.

A dyma'r weddi wedi ei throsi i'r Saesneg:
So that your servants can re-echo,

The wonders of your deeds
With pliable reeds.
Undo (or get rid of) the sin of
my unholy (or vile) lip,
O Holy John.

John oedd y Pab yn ei gyfnod ef.   Defnyddiodd Guido y ddwy neu dair llythyren gyntaf y weddi yn nodau i'r cynllun newydd.   Vi - Re - Mi - Fa - Sol - Lab.   Chwe nodyn yn unig oedd ar y dechrau.   Gelwir y system newydd hon yn Hexachord. Bu yn llwyddiant.   Yr Hexachord yma yw safon y Sol-ffa.   Bu farw Guido D'Arezzo yn Arenllano yn 1050.   Bu " llawer tro ar fyd " er hynny a daeth y Sol-ffa yn amlwg yn yr America yn niwedd y ddeunawfed ganrif.   Yn 1832, daeth D. Sawer a llyfr allan wedi ei argraffu yn Philadelphia, " Norriston new, and much improved Music Reader."   Sol-ffa oedd hwn.   Un mlynedd ar ddeg wedyn (1844), daeth John Curwen a'r system yma.   Felly o'r America daeth y gyfundrefn Sol-ffa i Brydain, ond gwlad y corau a'r cantorion a'r cyfansoddwyr mawr — yr Eidal —roddodd i ni "wreiddyn y peth."   Dylid croniclo mai Arezzo yw enw tref fechan, a Guido oedd enw y Mynach galluog hwn. Ond cyfeirir ato gan haneswyr fel "Guido D'Arezzo, h.y., Guido of Arezzo.

Yr oedd y mudiad o 1850 ymlaen wedi cael tir da i wreiddio yn Lloegr.   Daeth i Gymru tua deng mlynedd yn ddiweddarach, ond wedi ei ddyfodiad, glynodd y Cymro wrtho yn llawer mwy egniol na'r Sais.

Yn ystod ei gyfres ddarlithiau, traddododd John Curwen un ohonynt yn Lerpwl yn 1860, ac aeth Eleazer Roberts a John Edwards yno i'w glywed.   Y mae hanes Eleazer Roberts, ac yn ddiweddarach Ieuan Gwyllt, gyda'r Sol-ffa yn ddigon hysbys. Gwelir felly, fod bron pob mudiad y gellid eu cyfrif yn gefndir i'r traddodiad diweddar yn cychwyn yn gyfamserol.   Diwygiad cre-fyddol yn 1859, cerddoriaeth yn dod yn amlwg i'r Eisteddfod o 1860 ymlaen, ac yn 1860 hefyd, dyma Eleazer Roberts yn dechrau o ddifrif gyda'r Sol-ffa.

Cynhaliwyd arholiadau y Tonic Sol-ffa led led Cymru am

flynyddoedd. Yr oedd y sawl a gawsai ddiploma'r Tonic Sol-ffa College, fel A.C., neu G. &. L., yn meddiannu'r hawl i drio cystadleuwyr yn safonau llai am dystysgrifau. Hawdd iawn pan rai y ddyddiau hyn yw dibrisio gwaith pregethwyr, ond gwnaeth llawer o honynt waith da gyda'r gyfundrefn newydd hon.

Grisiau arholiadau Coleg y Tonic Sol-ffa ar y dechrau oedd Elementary, Intermediate (Theory and Practice), Matriculation (yr oedd yr Hen Nodiant yn anghenrheidiol gyda hon), yr Advance Certificate (A.C.) Yr A.C. oedd " riban las " yr ymgeis-wyr brwdfrydig hyn. Yr oedd dyn yn " rhywun " ym myd cerddorol pan enillai G. & .L., neu'r F.T.S.C. Yr oedd gwersi i'w cael drwy'r post yn ogystal a dosbarthiadau yn y gwahanol ben-trefi i hyrwyddo'r wybodaeth o'r nodiant newydd.

Diddorol yw edrych drwy hen rifynnau o " Cerddor y Tonic Sol-ffa" ac o "Cerddor y Sol-ffa" (Ail Gyfres), y nifer ym Mor-gannwg aeth drwy arholiadau gyda'r Sol-ffa. Dyma enwau rhai o drefi a phentrefi yn y Sir lle bu llu yn llwyddiannus gyda'r Nodiant Newydd: Taibach, Pontardawe, Penydarren, Treforus, Penrhiwceibr, Hirwaun, Dowlais, Abertawe, Maes-y-Cymer, Merthyr, Aberpennar, Aberdar, Cwmbwrla, Cwm Ogwr, Caerdydd, Pontarddulais, Maesteg, Trecynon, Hafod, Troed-y-Rhiw, Pontypridd, Llantrisant, Llansamlet, Ystalyfera, Cadle, Abercaniaid, Fforest Fach, Skewen, Llangyfelach, Waunarlwydd, Treboeth, Clydach, Landore, Ferndale, Maerdy, Porth, Ynyshir, Penygraig, a llu o leoedd eraill. Gwelir felly fod tir wedi ei bara-toi'n dda i dderbyn Llyfr Tonau newydd Ieuan Gwyllt, pan ddaeth hwnnw yn nodiant y Sol-ffa. Y dosbarth cyntaf yn y Tonic Sol-ffa ym Morgannwg oedd ym Mynydd Cynffig gan y Parch. Cynffig Davies yn festri Elim. Gwnaeth y gŵr hwn wasanaeth enfawr i'r Sol-ffa yng Nghymru ("Hanes Canu Cynulleidfaol Cymru", td. 86).

Y Gymanfa Ganu

YMHLE y dechreuodd hon ?   Sut y daeth hi i fodolaeth , Mae amryw a gwahanol farnau ynglŷn â'i tharddiad a'i hamser. Dwed y diweddar Bob Owen Croesor mai Thomas Charles o'r Bala cychwynodd hi. Bu Cymanfa (Ganu) yr Ysgol Sul yn yr awyr agored ar y Migneint — sef ar odre'r mynydd rhwng Llanffestiniog a'r Bala yn 1808.   Prin bod hyn yn gywir.   Ym mis Gorffennaf oedd hon, ond dwed R. D. Griffiths yn ei "Hanes Canu Cynulleidfaol Cymru," td. 71, bod un fel hon wedi ei chynnal y Llungwyn cynt ym Mlaenannerch, Sir Aberteifi.   Dwed R. D. Griffith eto fod Robert Davies ac Owen Jones y Gelli, Aberystwyth, dair blynedd cyn hyn (1805) wedi tanio ardal fawr o gwmpas Aberystwyth i ganu emynau. Cenid emynau gan lu mawr o'r trigolion wrth eu gwaith. Ymhen rhai blynyddoedd, 1830 (yn ôl y diweddar David Jenkins, Mus. Bac.), sefydlwyd yn yr ardal yma "Undeb Cerddorol." 'Roedd yr "Undeb" yma yn cynnwys yr enwadau ymneilltuol i gyd a chael canu gyda'i gilydd bob dau fis. Ymledodd yr "Undeb," cafwyd cynulleidfaoedd at ei gilydd i ganu ym Modedern, Sir Fôn, yn 1835.   Un arall ym Mangor yn 1839, Llandrillo 1842, Llangernyw 1845, a'r Bala yr un flwyddyn. Dysgu canu oedd hyn bennaf, oherwydd yr oedd rhai yn mynd ar hyd a lled y wlad i ddysgu cerddoriaeth.   Ceir hanes am John Mills, Llundain (un o Millsiaid Llanidloes) yn 26 oed yn 1838 wedi cael ei wahodd â chymhelliad cryf, fyned ar daith i ddysgu cerddoriaeth i Siroedd Aberteifi, Caerfyrddin a Morgannwg. Mae ei ddyddiadur o'r daith hon yn ddiddorol dros ben.

Y Diwygiad Methodistiaid tua chanol y ddeunawfed ganrif roddodd yr emynau i ni.   Ychydig emynau oedd gennym cyn hynny, ac eithro Salmau Edmwnd Prys.   Diwygiad '59 drwy gyfrwng y Gymanfa Ganu roddodd i ni donau cynulleidfaol a safon iddynt.   Diddorol yw sylwi fod a wnelo rhyw gynhyrfiad Ysbrydol a rhywbeth sylweddol a pharhaol ynddo bob amser.

Anodd fydd sôn am y Gymanfa Ganu heb grybwyll am Ieuan Gwyllt.   Gŵr â chan bron bob sir yng Nghymru hawl arno. Fe'i ganwyd yn Sir Aberteifi.   Bu yn dilyn ei oruchwyliaeth yn Aberystwyth a Lerpwl.   Yn y lle olaf y paratodd ei Lyfr Tonau. Yn 1858, daeth i Aberdar i olygu'r "Gwladgarwr."   'Roedd yn lletya gyda William Morgan y Bardd.   Ym Morgannwg y dechreuodd Ieuan Gwyllt o ddifrif gyda cherddoriaeth.   Yn Aberdar y daeth ei Lyfr Tonau allan yn 1859.   Cynhaliwyd Cymanfa Ganu ym Methania, Aberdâr, Ionawr 10ed, 1859.   Efe oedd yr arweinydd, ac efe ddewisodd y tonau a'r emynau. Gwnaed y côr i fyny o gorau "Undeb Cerddorol Dirwestol Gwent a Morgannwg."   Yn ôl ei dystiolaeth ef ei hun droion, teimlai ei fod yng nghanol cyfeillion a gwresogrwydd pobl y De.   Mewn geiriau eraill, 'roedd "wrth ei fodd " yn eu plith.   Onibai am Forgannwg, efallai na fuasai gennym ni Ieuan Gwyllt y cerddor.

Bu llawer cyn hyn, fel y cyfeiriwyd eisoes yn cynnal dosbarthiadau mewn cerddoriaeth.   Ond yn festri Bethania, Aberdâr, dechreuodd Ieuan Gwyllt fentar newydd o gadw Ysgol Gân, peth sy'n ddiarhebol o gyfarwydd i bob Cymro bellach.   Yn gyffredin, 'roedd y saint yn ffyrnig yn erbyn y canu gyda'r " notes," ond cafodd ef bob cynhorthwy gan ei weinidog, y Dr. David Saunders.   Rhai o'i ddisgyblion cyntaf oedd William Griffiths, William Roberts, a Silas Evans (Cynon).   Hwy yn ôl pob hanes, oedd y rhai cyntaf i weld cynnwys y Llyfr Tonau newydd.

Ym Mai yr un flwyddyn (1859),daeth cyhoeddiad misol "Telyn-y-Plant" allan o dan olygyddiaeth Ieuan Gwyllt a Thomas Levi.   Un o'r pethau cyntaf oedd hwn a wnaed er mwyn plant. Bu mewn cylchrediad am ddwy flynedd, pan gymrodd " Trysorfa'r Plant " ei le.

Wedi blwyddyn yn Aberdar, symudodd Ieuan Gwyllt i Ferthyr.   Yno, yn 1861, cychwynnodd y "Cerddor Cymreig." Cyhoeddiad a gymrodd ar ei gyfrifoldeb ei hun am bedair blynedd.   Yn yr un flwyddyn, dechreuodd Undebau Canu Cynulleidfaol godi eu pennau mewn llawer lle yng Nghymru.   Yr oedd y Gymanfa Ganu wedi gafael, a Diwygiad '59 ar ei binacl, ac yn 1864, daeth ei Lyfr Tonau allan gyntaf yn Nodiant y Tonic Sol-ffa.   Wedi mynd i Lanberis, y cychwynnodd " Cerddor y Tonic Sol-ffa " yn 1869, ond y mae hwnnw allan o'r maes hwn.

Awgrymir yn bendant gan rai awduron, mai y Gymanfa Ganu gyfeiriwyd ati ym Methania, Aberdar, oedd y cyntaf yng Nghymru.   Os mai unig amcan y Gymanfa hon oedd codi safon canu cynulleidfaol, a dim ond hynny, yn sicr ddigon, nid hi oedd yr un gyntaf.   Ond os oedd yr amcan i greu awyrgylch o addoliad, ac i ganu i'r Arglwydd a chân a mawl, hi yn ddiddadl oedd yr un gyntaf.   Yn ei Raglith i'w Lyfr Tonau, dywaid Ieuan Gwyllt " mai prif deithi tôn dda oedd cerddoriaeth, symylrwydd, eangder meddylrych, urddas a defosiwn."   Nid oes amheuaeth i'r urddas a'r defosiwn hwn fod y prif nod yn y Gymanfa honno yn Aberdar.

Syrthiodd Ieuan Gwyllt yn naturiol i draddodiad cerddorol Aberdar a Merthyr.   Ymhell cyn 1859, pan oedd y mudiad dirwestol yn ennill nerth, rhoddid gwobrwyon mewn Eisteddfodau am gyfansoddi a chanu darnau dirwestol.   Yr oeddent wedi ffurfio corau yma ac acw yn siroedd Mynwy a Morgannwg.   Unwyd y corau hyn weithiau i ganu mewn gwyliau arbennig.   Y canlyniad fu i'r cynllun hwn gael ei sefydlu'n "Gymanfa."   Gelwid y gwyliau hyn yn " Gymanfa Gerddorol Gwent a Morgannwg," ac weithiau, os nad yn aml iawn, yn " Cymanfa Gerddorol Ddirwestol Gwent a Morgannwg."   Amcan y Gymanfa hon oedd:

1.   Cefnogi Dirwest.
2.   Dyrchafu a choethi chwaeth gerddorol.
3.   Ennill ein cantorion yn fwy at ganu cynulleidfaol.

Nid oedd sôn yma am ganu emynau, na defosiwn. Awgryma'r

trydydd pwynt uchod fod y canu cynulleidfaol yr anelwyd ato yn rhywbeth tebyg i'r "community singing" sydd gennym ni heddiw. Ond eto, yr oedd urddas yn perthyn iddo, a'r mudiad yma oedd y tu cefn i'r Cymanfa Ganu grefyddol.

Cynhaliwyd y rhai cyntaf o'r Cymanfaoedd hyn fel y canlyn:

1. Pontypridd yn 1855.
2. Aberdar yn 1856.
3. Dowlais yn 1857.

Yr oedd y tair yma o dan arweiniad Dr. Evan Davies, Aber tawe (gwel td.   ). Cynhaliwyd y bedwaredd Cymanfa yn Rhymni yn 1858, ac Ieuan Gwyllt yn arwain. Gwelir felly, fod Ieuan Gwyllt wedi arwain cymanfa ganu flwyddyn cyn honno ym Methania, Aberdâr. Y tebygrwydd yw, mai yma y cafodd syniad am Gymanfa Ganu, oherwydd aelodau o'r côr hwn oedd yn canu yng Nghymanfa Aberdâr yn 1859. Yr unig wahaniaeth oedd mai canu cytganau o waith y meistri, ac alawon gwerin oeddent yn 1855-1858, ond emynau a thonau o Lyfr Tonau newydd Ieuan Gwyllt oeddent yn eu canu yn 1859.

Wedi i Ieuan Gwyllt symud i Lanberis yn 1865, cychwynwyd Cymanfa gyffelyb yn Arfon. Cynhaliwyd y gyntaf yng Nghastell Caernarfon yn 1866, a'r ail, y flwyddyn ganlynol yn yr un lle; y drydedd yn 1868 ym Mhorthmadog. Yn ystod y flwyddyn hon, eangwyd ei ffin i Sir Feirionydd. Ceir y Gymanfa gyntaf yma yng Nghastell Harlech yn 1868, ac Ieuan Gwyllt yn arwain.

Gellir dadleu pa un a'i Cymanfa Ganu Ddirwestol Pontypridd yn 1855, neu Cymanfa Ganu Tonau Cynulleidfaol Aberdâr yn 1859 oedd yr un gyntaf o safbwynt y syniad sydd heddiw o Gymanfa Ganu. Un peth sy'n sicr, ym Morgannwg y dechreuodd hi, ond aeth yn fuan fel "tân gwyllt" drwy Gymru gyfan. Rhoddwyd clod mawr i Ieuan Gwyllt am ei waith gyda'r Gymanfa, ac yn sicr yr oedd yn ei haeddu. Dwedodd y Parchedig David Saunders, D.D. droion, mai Ieuan Gwyllt oedd tad y Cymanfaoedd canu. Efallai hynny, ond Dr. Evan Davies, Aber- tawe, oedd yr arweinydd cyntaf cymanfa ganu y gwyddom ni am dano, ac fel y soniwyd o'r blaen, dilynodd Ieuan Gwyllt ef fel arweinydd Cymanfa Ganu Ddirwestol Gwent a Morgannwg. Evan Davies roddodd y patrwn i ni, Ieuan Gwyllt a'i gweithiodd allan, a Morgannwg dderbyniodd yr arbrawf. Gwyr pawb bellach, beth fu, a beth yw dylanwad y Cymanfa Ganu. Cwynir fod rhai pethau heddiw yn cael ei diystyru gan ein pobl ieuainc, ond mae'r " Gymanfa " yn fawr ei bri, hyd yn oed gan blant " yr oes olau hon." Yn anffodus erbyn hyn, collodd trigolion y rhan fwyaf o'r Sir ei hiaith, ond er gwaethaf y llanw estronol o bob math, fe fynn godi cerddorion o fri, a chadw ysbryd cerddorol yn fyw. O bob Sir yng Nghymru fu yn cyfrannu at drysorfa datblygiad a thraddodiad cerddorol ein Cenedl, nid yw Morgannwg yn ail i'r un ohonynt. Ar wahân i'r Gymanfa Ganu, mae pob traddodiad ym myd cerddoriaeth yn parhau yno heddiw. Llai na chanrif yn ôl ceid ugeiniau o A.C., a L.T.S.C. yn y Sir, ond heddiw ceir amryw B.Mus., a rhai D.Mus. yno. Cwynir gan rai bod corau yn "mynd lawr" yng Nghymru, ond sicr nid felly ym Morgannwg. Dwedir fod saith neu wyth o gorau yn y Rhondda yn unig. Corau newydd, fel Côr Cymysg Llwynhendy a Chôr Meibion Pontarddulais, ac eraill. Boed i'r traddodiad fyw yn hir.